A-Z MANSFIELD

C000281958

CONTENTS

REFERENCE

Motorway	M1	**Map Continuation**	34
A Road	A617	**Car Park**	P
Under Construction		**Church or Chapel**	†
Proposed		**Fire Station**	■
B Road	B6030	**House Numbers** A & B Roads only	57 44
Dual Carriageway		**Information Centre**	🄸
One Way Street Traffic flow on A Roads is indicated by a heavy line on the driver's left.	➡	**National Grid Reference**	360
		Police Station	▲
Pedestrianized Road	[------------]	**Post Office**	★
Restricted Access		**Toilet**	▽
Track	------------	**Educational Establishment**	⌐
Footpath	- - - - - -	**Hospital or Health Centre**	Ⓗ ⌐
Residential Walkway	············	**Industrial Building**	⌐
Railway	Tunnel / Station / Level Crossing	**Leisure or Recreational Facility**	⌐
		Places of Interest	⌐
Local Authority Boundary	- ·· - ·· -	**Public Building**	⌐
Built Up Area	HIGH STREET	**Shopping Centre or Market**	⌐
Postcode Boundary	- - - -	**Other Selected Buildings**	⌐

SCALE

3 1/3 inches (8.47 cm) to 1 mile   **SCALE**   1:19,000   5.26 cm to 1km

0	¼	½	¾	1 Mile

0	250	500	750 Metres	1 Kilometre

Geographers' A-Z Map Company Ltd.

Head Office : Fairfield Road, Borough Green, Sevenoaks, Kent TN15 8PP   Telephone 01732 781000
Showrooms : 44 Gray's Inn Road, London WC1X 8HX   Telephone 0171 242 9246

Based upon the Ordnance Survey mapping with the permission of
The Controller of Her Majesty's Stationery Office. © Crown Copyright (399000)

EDITION 1 1999   Copyright © Geographers' A-Z Map Company Ltd.

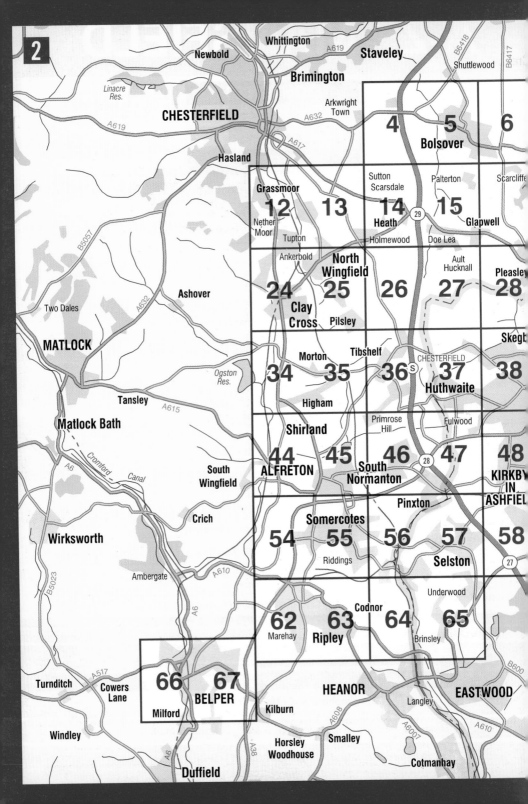

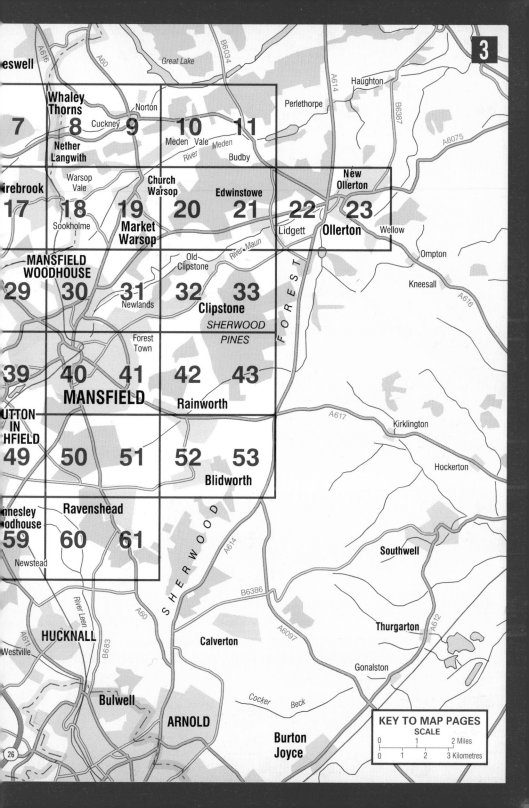

BOLSOVER

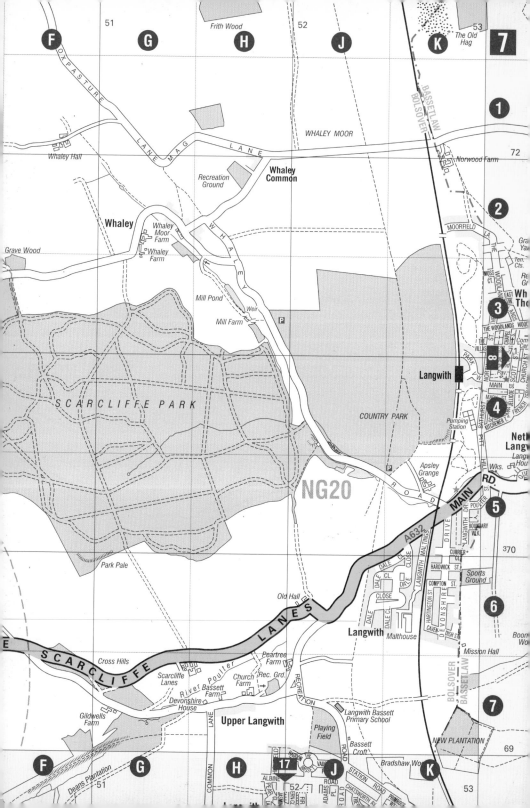

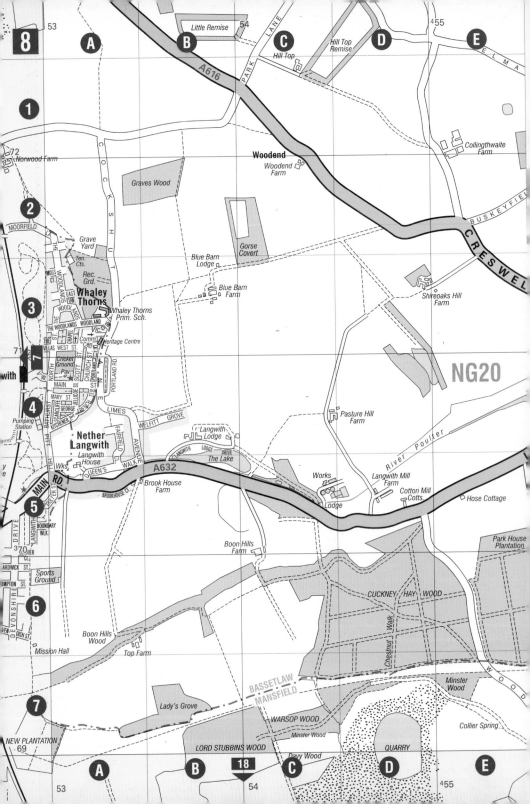

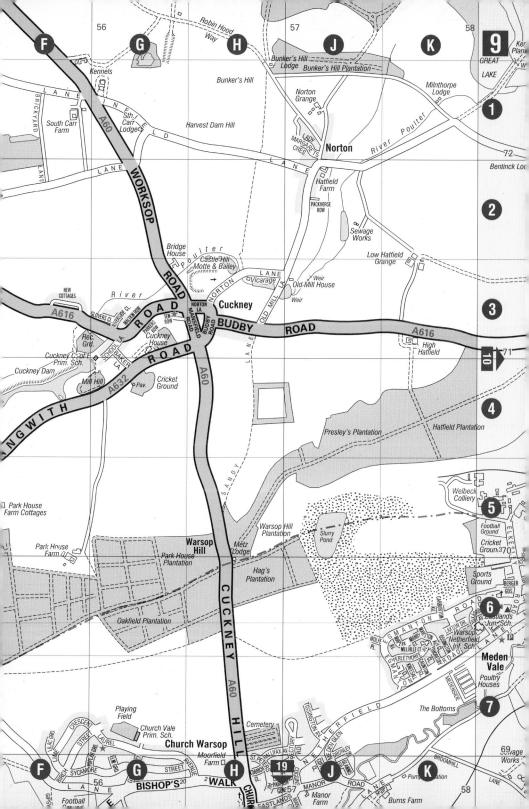

10 58 GREAT LAKE

A B C D E

1

Kennel Plantation
Cat Hills Plantation
59 Fasque Plantation
Fasque Screed
Meadow Lodge
460 River Weir Poulter
Sluices
Weir
Wheelhouse Plantation
Nightingale Plantation
Gravelhole Bre
Carburton Forge Dam
Carburton Dam
Milnthorpe Lodge
Weir
Forge Lodge
Works
Gibraltar Lodge

72

2

Bentinck Lodge
Corunna Lodge
Corunna Hill Plantation
Gibraltar Plantation
Battarain Plantation
Burn's Breck
Hazel Gap Wood
Hazel Gap
Robin
Kingstand Lodge
Lord Woodstock's Plantation
Hazel Gap Farm

3

A616
Sedan Lodge
Gleadthorpe Breck Plantation
Kingston Drive Plantatio
71
gh field 71
9

4

Hatfield Plantation
BASSETLAW MANSFIELD
Gleadthorpe Screed
Gleadthorpe Plantation
NG20

5

Welbeck Colliery
Elkesley Hill
Gleadthorpe Experimental Husbandry Farm
Gleadthorpe Lodge
River Meden
Drain
Drain
Works
Meadow Bank
Football Ground
Cricket Ground

370

6

Sports Ground
BERGER GDS.
EGMANTON RD.
LAXTON AV.
OSSINGTON
Warsop Netherfield Inf. Sch.
Eastlands Jun. Sch.
BUDBY CRES.
PORTLAND CRA.
KIRK
NOR
PREST... TER
JACKSON
HATFIELD AV.
HERF... FIELD
Gleadthorpe Cottages
Gleadthorpe Grange
HANGER HILL
Budby Breck
Holborn Hill Plantation
MANSFIELD NEWARK AND SHE
Assarts Farm

7

Meden Vale
Poultry Houses
e Bottom
Boundary Plantation
Assarts Hill Plantation
Gleadthorpe New Plantation

69
Sewage Works
BROOMHILL
g Station
A B **20** C D E
58 LANE 59 460

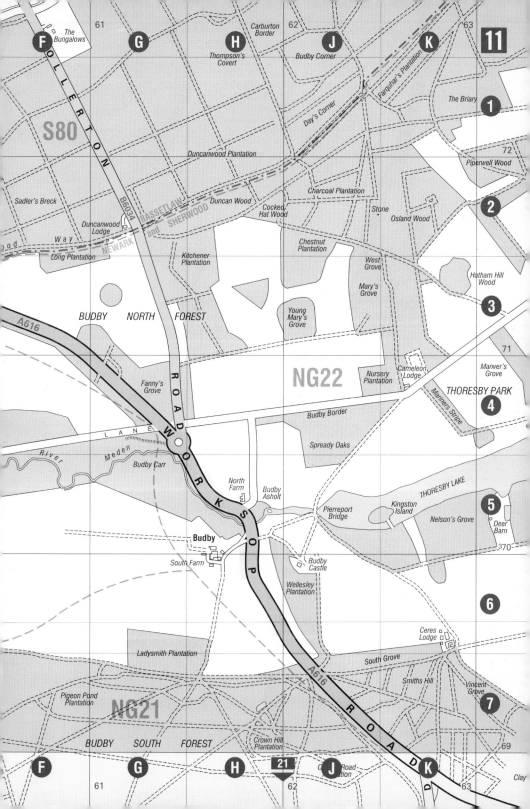

The Bungalows

Carburton Border

Thompson's Covert

Budby Corner

Farquhar's Plantation

1 The Briary

S80

Day's Corner

Duncanwood Plantation

Piperwell Wood

72

FOLLERTON

B6034

2

Sadler's Breck

Charcoal Plantation

Duncan Wood

Stone

Osland Wood

BASSETLAW and SHERWOOD

Long Plantation

Duncanwood Lodge

Way

NEWARK

Kitchener Plantation

Cocked Hat Wood

Chestnut Plantation

West Grove

Hotham Hill Wood

Mary's Grove

3

BUDBY NORTH FOREST

Young Mary's Grove

71

Fanny's Grove

NG22

Nursery Plantation

Cameleon Lodge

Manver's Grove

THORESBY PARK

ROAD

A616

Mariners Stripe

4

LANE

Budby Border

Spready Oaks

River Meden

Budby Carr

WORKSOP

North Farm

Budby Asholt

THORESBY LAKE

Kingston Island

Nelson's Grove

5

Pierreport Bridge

Deer Barn

Budby

South Farm

Budby Castle

370

Wellesley Plantation

6

Ceres Lodge

Ladysmith Plantation

South Grove

A616

Smiths Hill

Vincent Grove

7

NG21

Pigeon Pond Plantation

BUDBY SOUTH FOREST

Crown Hill Plantation

ROAD

69

Clay

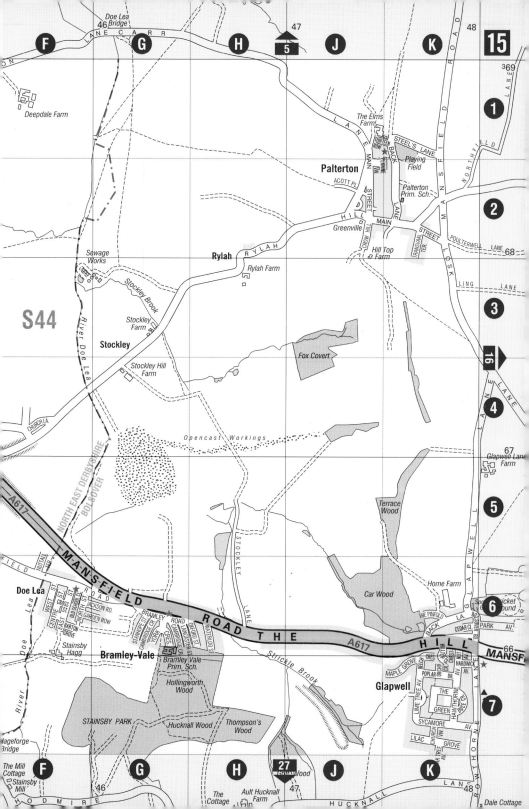

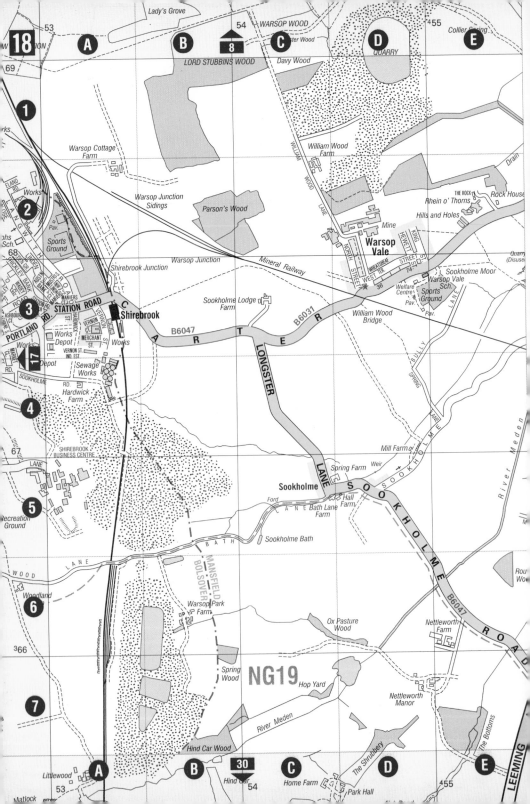

Church Warsop

MARKET WORKSOP

NG20

Mount Pleasant

Mansfield

West Croft
Plantation

Forest Hill
Plantation

Gravelhill
Plantation

Bottoms

58
A
Assarts Hill Plantation
B
59
▲ 10
C
Gleadthorpe New Plantation
D
460
E

69 BROOMHILL
Station
Sewage Works
BROOMHILL LANE
LANE
1

HILL DRIVE

Hanger Hill Wood

Sod Wall Plantation

HANGER

Hanger Hill

Sunnyside Wood

NG20
68
2

Jerusalem Plantation

Railway Piece

Ling Plantation

THE LINGS

MANSFIELD and SHERWOOD

NEWARK

Warsop Quarter

Fox Den Plantation

68
3

19

LANE

Turner's Plantation

GREEN

DRIVE

Po

4

Bottom Vals Hill

Norman's Plantation

LING LANE

Top Vals Hill

Cabin Plantation

Black Pool

Blackpool Plantation

67

Blakeley Hill

Rough Piece

The Sarts

Clipstone Old Quar

BLAKELEY

Blakeley Hill Plantation

5

Farm

CLIPSTONE

Bradmer Hill

FOREST

B6035
Windmill (Disused)

ROAD
A6075

Windmill Plantation

M

6
PEAFIELD LANE

366

GORSETHORPE

Broomhill Grange

Gorseybrecks

Broomhill Gorse

7

ent

Sherwood Forest Farm Park
A

B
32 ▼
C
59

D
460
E

58

Lamb Pens Farm

Gorsethorpe

LANE

A   **B** Old Oaks   **C**   **D** Proteus Camp   **E**

Old Buck Gates

Clay Pits

THORESBY PARK

Postmans Wicket

1 WORKSOP

Ollerton Assarts Plantation

Ollerton Corner

A616

Stilehollow Plantation

B I L H A U G H

Hawk Clump

2

Shooting Range

BEECH AVENUE

3

Burstheart Hill

Nature Reserve

ROAD

Weir

Weir

Weir

Ollerton

Ollerton Hall

War Mem.

A614

Thoresby Colliery

21

4

NG21

Cockglode Cottages

A6075

Maun

ROAD MANSFIELD RD.

Newark RD.

Weir

Weir

B6461

Kingston DR.

HARDWICK

STATION ROAD

OLLERTON ROAD

67

Carr Brecks Farm

HAWKHILL CL.

BESCAR

Colliery Villas

Black Hills Farm

5

River

Sewage Works

Black Hills Plantation

MAID MARIAN DR.

Ollerton Station Farm

RUFFORD

Ollerton Hills

6

BOY LANE

OAKHEAD CL.

HENTON

Lidgett

ROAD

Ollerton Hills Farm

366

Four Winds

Ollerton Hills

RUFFORD

ROAD

ROBIN HOOD AV.

King's Stand Farm

7

GREENFIELD CL.

ROAD

Sth Forest Leisure Cen.

B6034

CLIPSTONE

B6030

King's Stand Plantation

A614 COLD

Rainworth

Water

Mill

Rufford Mill Cottages

Well

Rufford Hills Farm

A   **B**   **C**   **D**   **E**

VEXATION LANE

Landing Stage

The Wilderness

Amen Corner

Rufford Country Park

Broad Ride

Rufford Lake

Scotland Bank

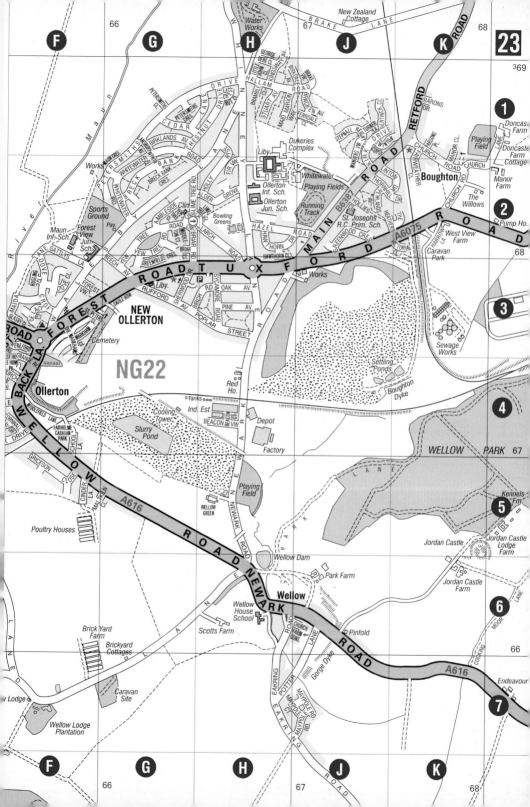

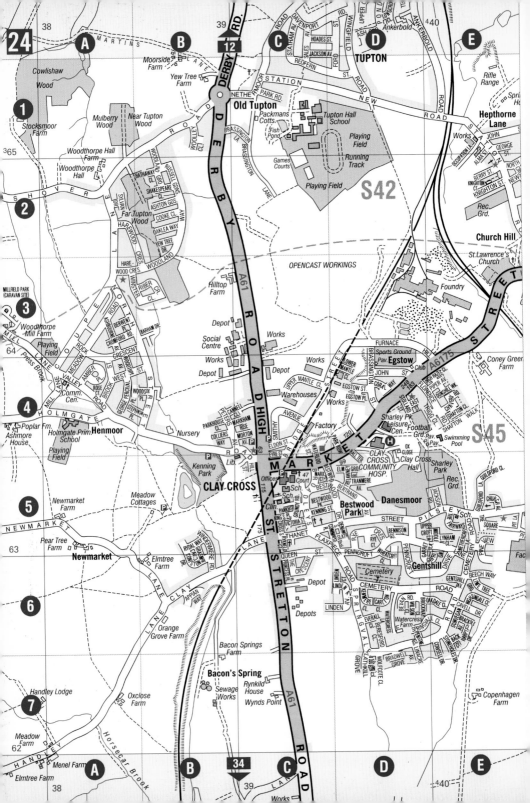

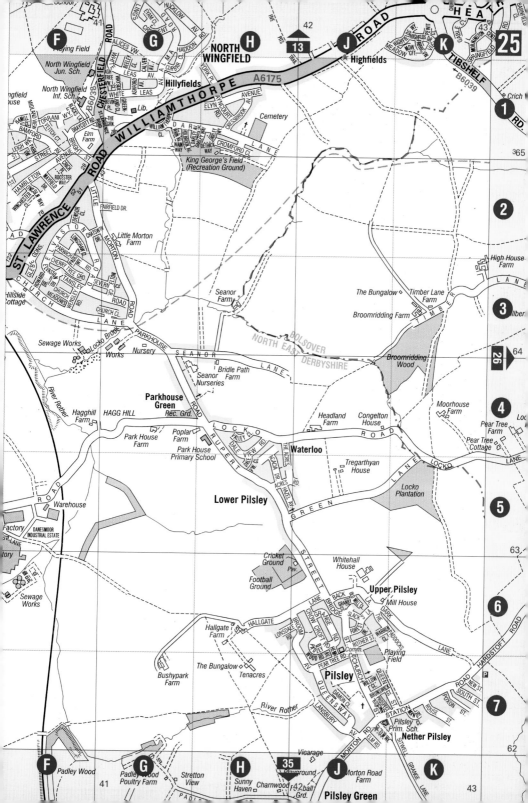

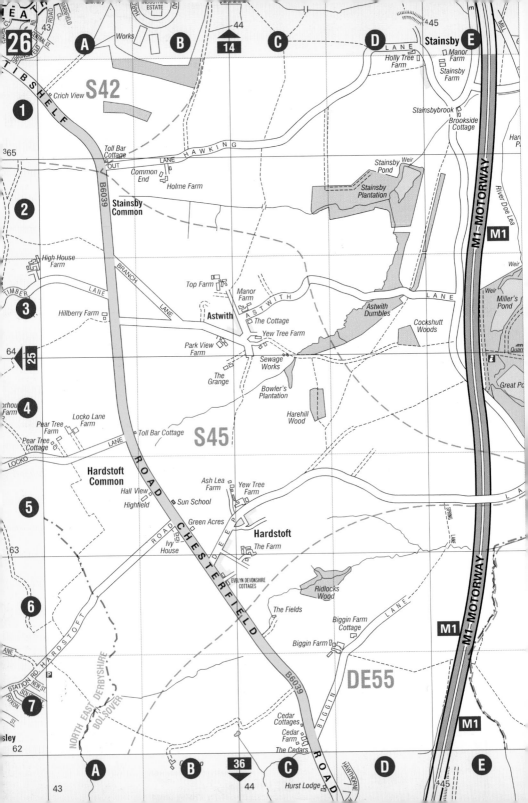

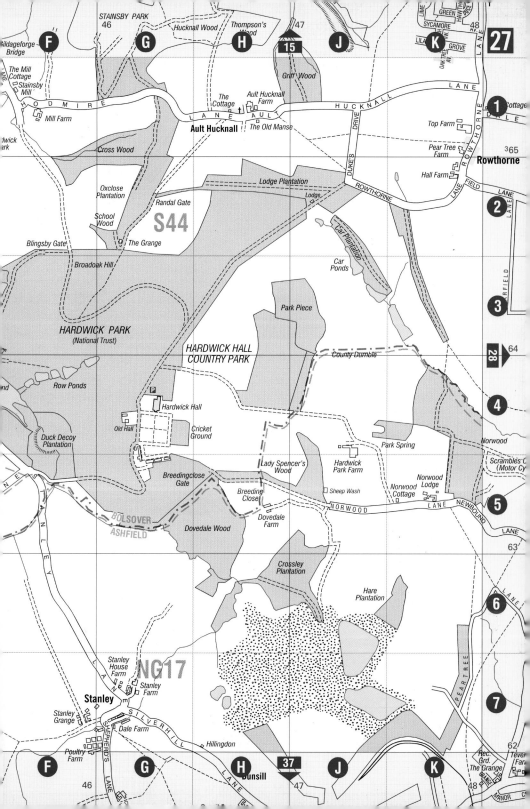

STAINSBY PARK
46

F

Gildageforge
Bridge

The Mill
Cottage

Stainsby
Mill

Mill Farm

Hardwick
Park

Cross Wood

G Hucknall Wood

H Thompson's
Wood

15

J

LIME GREEN HAWTH
SYCAMORE

LILAC
OAK TREE AV.
GROVE

Griff Wood

HUCKNALL LANE

The
Cottage

Ault Hucknall
Farm

Ault Hucknall

The Old Manse

The Cottage

Top Farm

Rowthorne

Pear Tree
Farm

Hall Farm

365

HODMIRE LANE

AULT LANE

DUKES DRIVE

ROWTHORNE

ROWTHORNE LANE

FIELD LANE

1

2

Oxclose
Plantation

School
Wood

Randal Gate

S44

Lodge Plantation

Lodge

Car Plantation

Car
Ponds

ARFIELD

3

Blingsby Gate

The Grange

Broadoak Hill

Park Piece

28 64

County Dumble

HARDWICK PARK
(National Trust)

**HARDWICK HALL
COUNTRY PARK**

Row Ponds

4

Norwood

Scrambles C
(Motor Cy

Duck Decoy
Plantation

P

Hardwick Hall

Old Hall

Cricket
Ground

Breedingclose
Gate

Lady Spencer's
Wood

Hardwick
Park Farm

Park Spring

Sheep Wash

Norwood
Cottage

Norwood
Lodge

5

STANLEY LANE

**BOLSOVER
ASHFIELD**

Dovedale Wood

Breeding
Close

Dovedale
Farm

NORWOOD LANE

NEWBOUND LANE

63

Crossley
Plantation

Hare
Plantation

6

PEAR TREE

LANE

NG17

Stanley
House
Farm

Stanley
Farm

7

Stanley

Stanley
Grange

Dale Farm

SILVERHILL

SHEPHERD'S LANE

Poultry
Farm

Hillingdon

62

Rec.
Grd.

The Grange

Tever
Far

MANOR

F
46

G

H
Dunsill

37
47

J

K
48

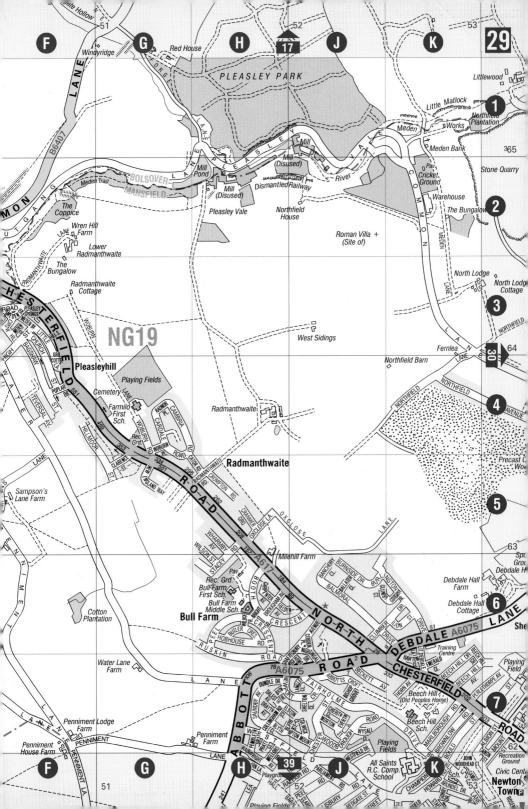

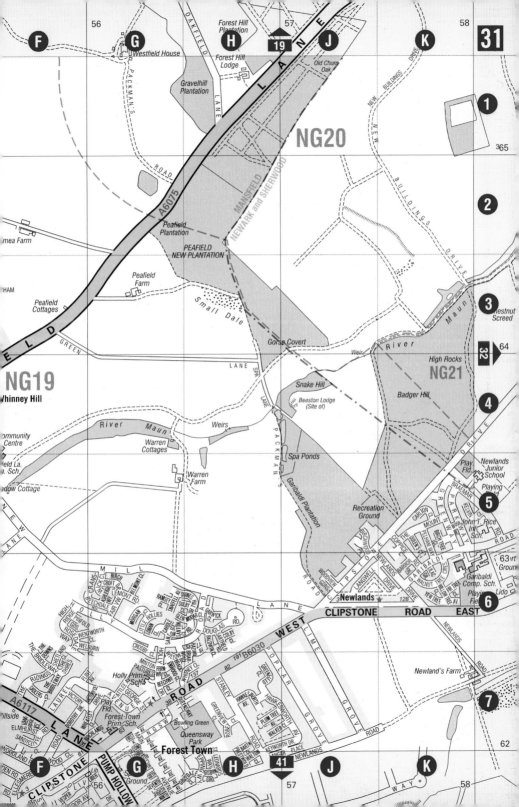

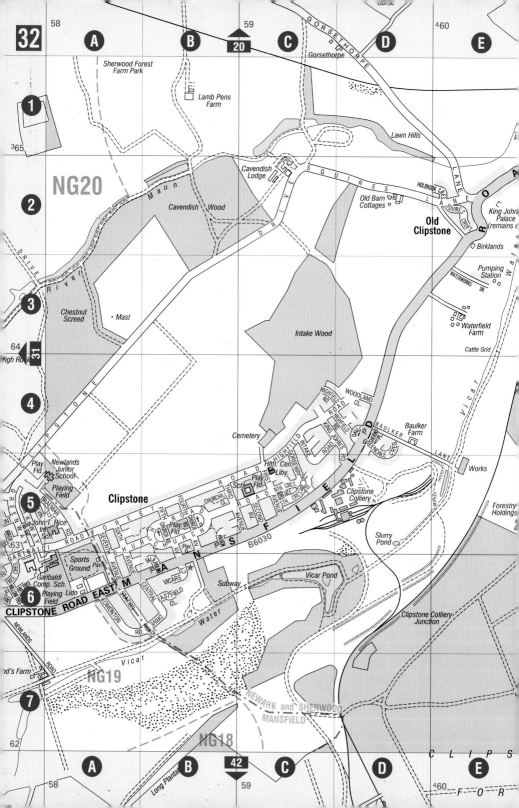

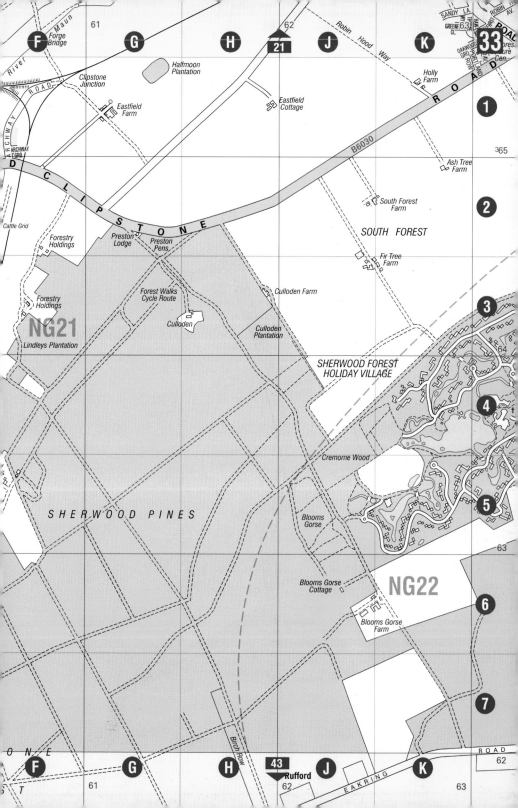

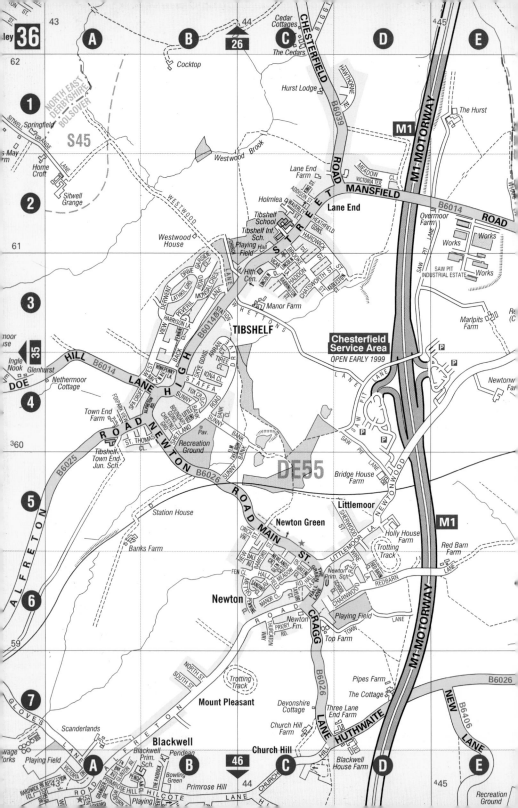

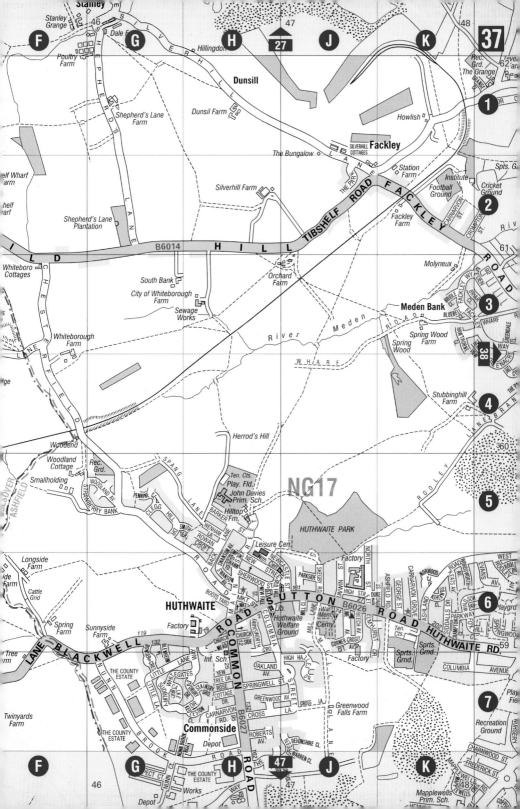

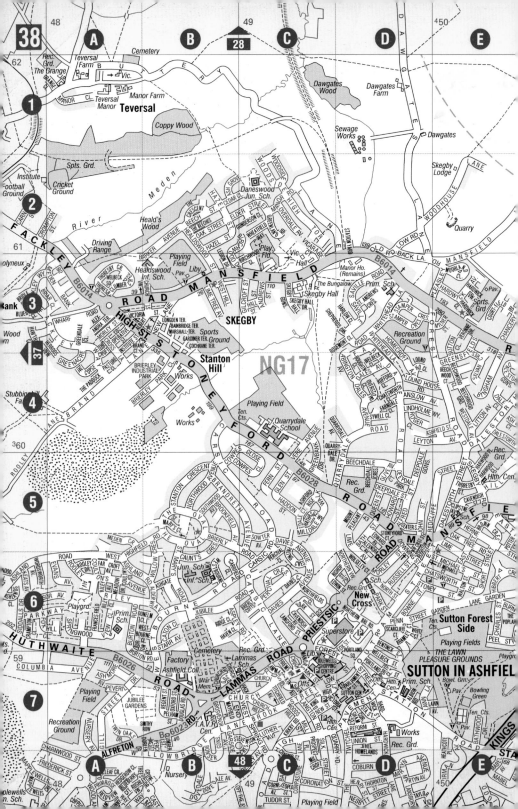

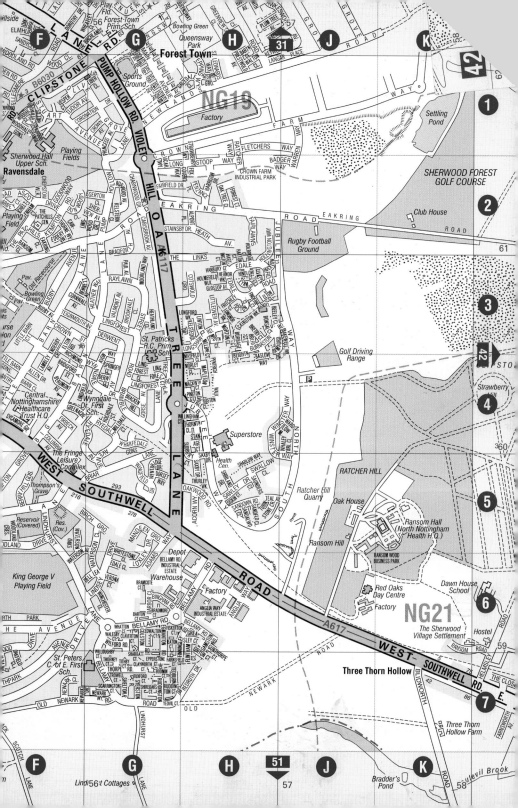

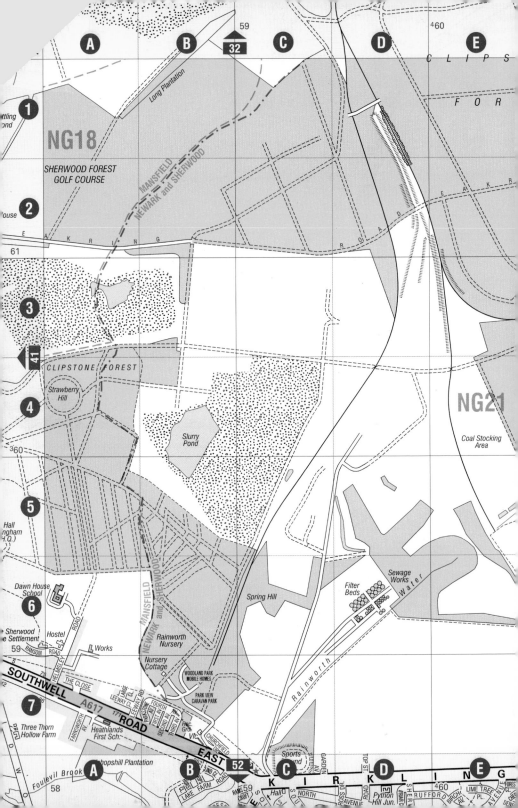

F 61 **G** **H** 62 33 **J** **K** 63 **43**
62

ONE
ST

Rufford

1

Brown's Covert

Birch Belt

Birch Row

ROAD

EAKRING

ROAD

2

Machin's Gorse 61

N
G

Keeper's Breck **3**

Near Round
Plantation

Inkersall Farm

Inkersall
Manor

Black Hill

Water

4

Round
ntation

Damside Covert

360

NG22

Rainworth

Inkersall
Grange
Farm

Inkersall
Grange
Cottages

5

The
Hundred Acres

Sherwood
Bungalow

6

Watch Hill

Lockwell
Ho.
Farm
Lockwell
Hill
Wood

Watch
Hill Site

59·4

OLD RUFFORD ROAD

A614

7

A617

Cottage Farm

Lockwell Hill

F 61 **G** Field **H** 53 **J** **K** ROAD 63
View 62
Rufford Rufford Forest Lockwell Hill
Forest Farm Farm Cottages Farm
CENTENARY
AVENUE

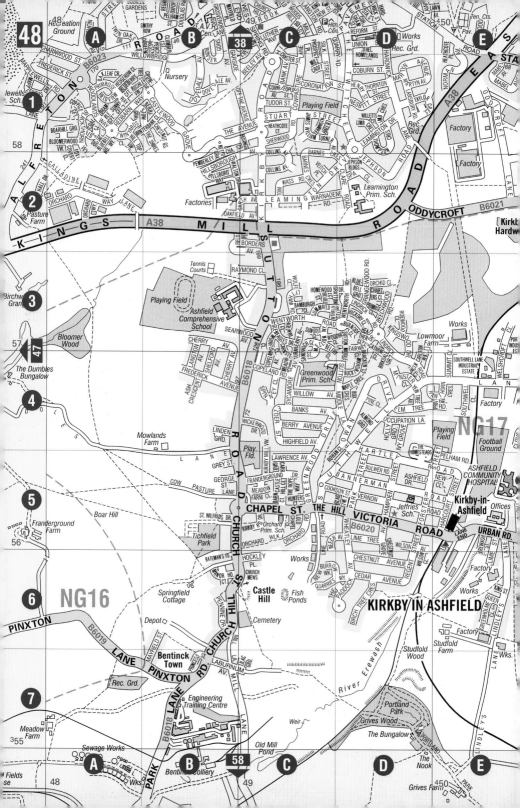

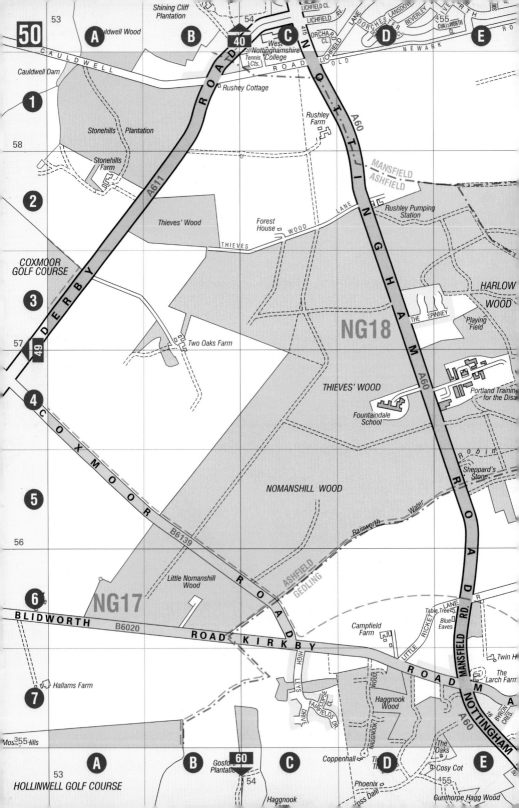

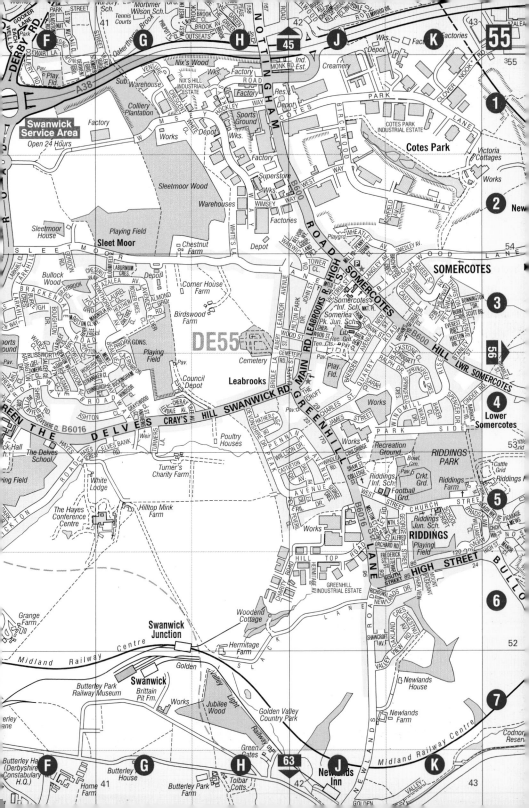

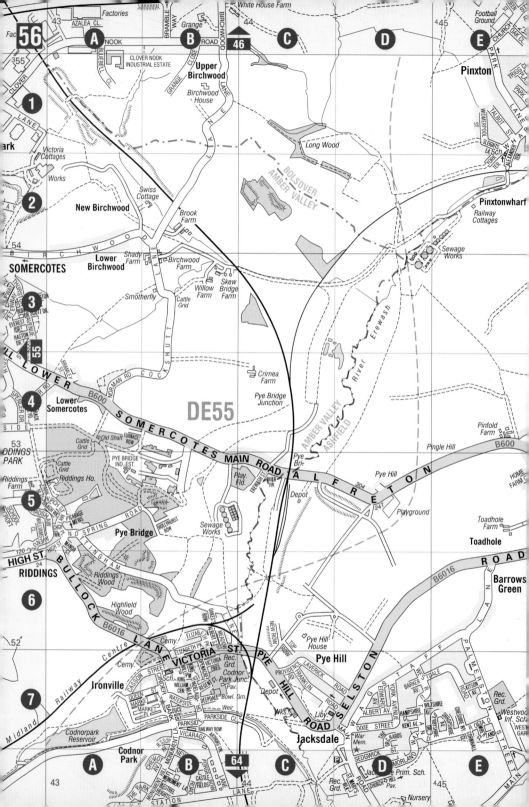

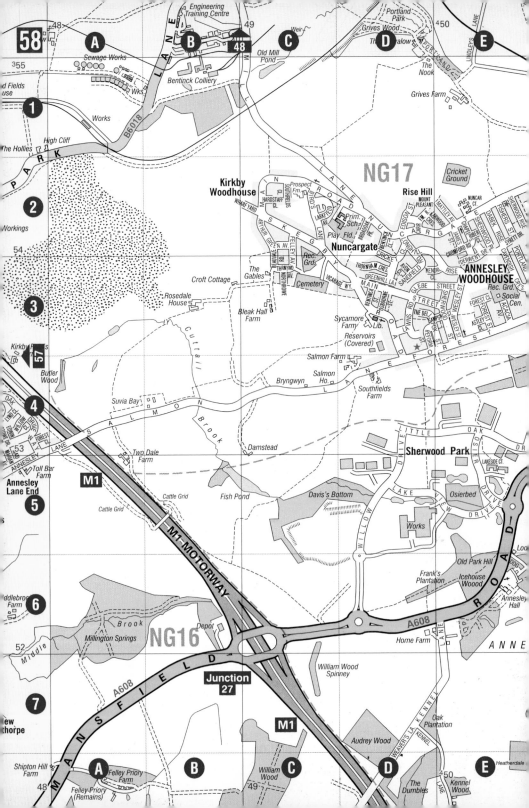

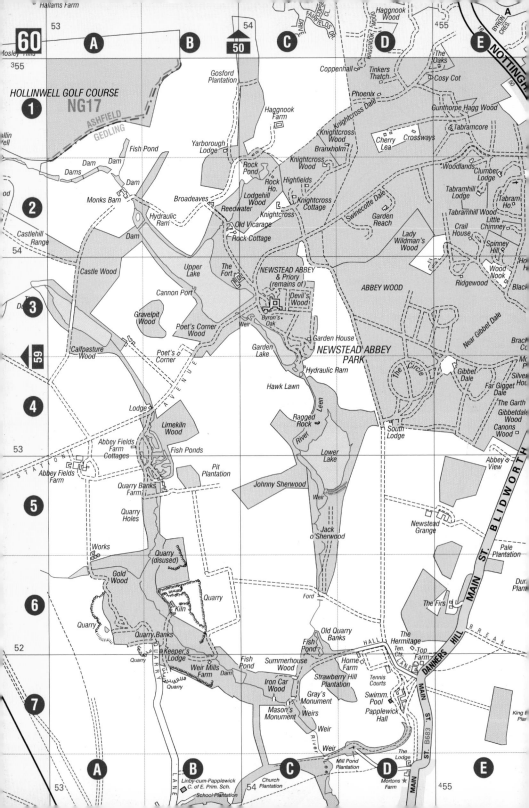

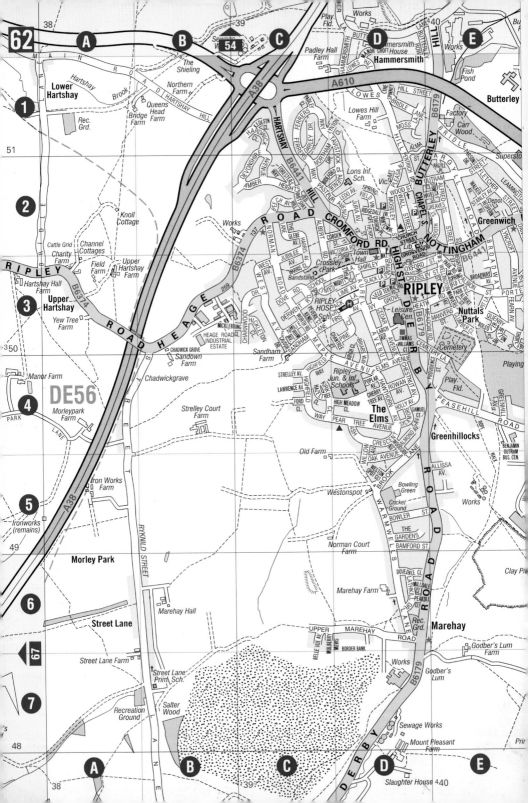

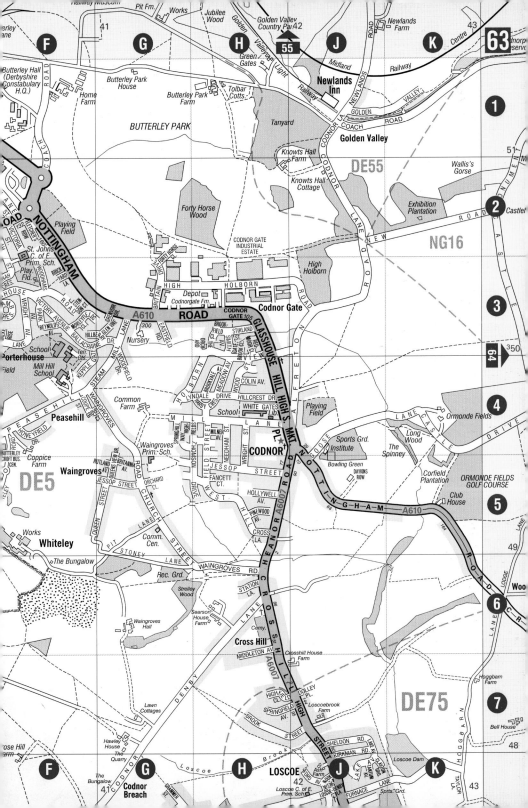

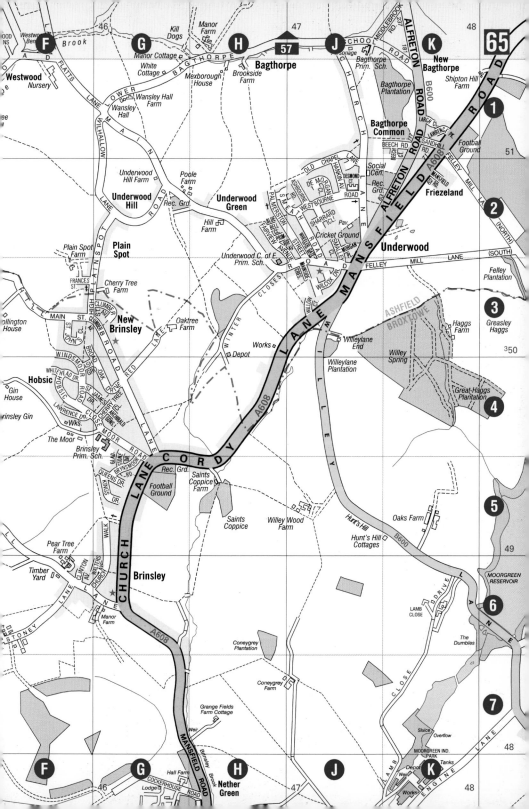

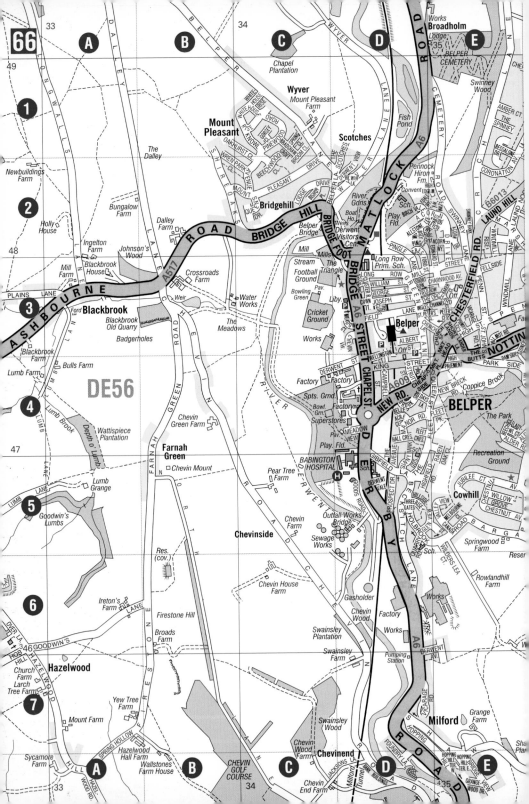

INDEX TO STREETS

Including Industrial Estates and a selection of Subsidiary Addresses.

HOW TO USE THIS INDEX

1. Each street name is followed by its Posttown or Postal Locality and then by its map reference; e.g. Abbey Rd. *Blid* —5D **52**
is in the Blidworth Postal Locality and is to be found in square 5D on page **52**. The page number being shown in bold type.
A strict alphabetical order is followed in which Av., Rd., St., etc. (though abbreviated) are read in full and as part of the street name;
e.g. Abbeydale Dri. appears after Abbey Ct. but before Abbey Rd.

2. Streets and a selection of Subsidiary names not shown on the Maps, appear in the index in *Italics* with the thoroughfare to which
it is connected shown in brackets; e.g. *Albert Sq. Sut A* —7C **38** (off Low St.)

GENERAL ABBREVIATIONS

All : Alley	Cres : Crescent	La : Lane	St : Saint
App : Approach	Cft : Croft	Lit : Little	II : Second
Arc : Arcade	Dri : Drive	Lwr : Lower	VII : Seventh
Av : Avenue	E : East	Mc : Mac	Shop : Shopping
Bk : Back	VIII : Eighth	Mnr : Manor	VI : Sixth
Boulevd : Boulevard	Embkmt : Embankment	Mans : Mansions	S : South
Bri : Bridge	Est : Estate	Mkt : Market	Sq : Square
B'way : Broadway	Fld : Field	Mdw : Meadow	Sta : Station
Bldgs : Buildings	V : Fifth	M : Mews	St : Street
Bus : Business	I : First	Mt : Mount	Ter : Terrace
Cvn : Caravan	IV : Fourth	N : North	III : Third
Cen : Centre	Gdns : Gardens	Pal : Palace	Trad : Trading
Chu : Church	Gth : Garth	Pde : Parade	Up : Upper
Chyd : Churchyard	Ga : Gate	Pk : Park	Va : Vale
Circ : Circle	Gt : Great	Pas : Passage	Vw : View
Cir : Circus	Grn : Green	Pl : Place	Vs : Villas
Clo : Close	Gro : Grove	Quad : Quadrant	Wlk : Walk
Comn : Common	Ho : House	Res : Residential	W : West
Cotts : Cottages	Ind : Industrial	Ri : Rise	Yd : Yard
Ct : Court	Junct : Junction	Rd : Road	

POSTTOWN AND POSTAL LOCALITY ABBREVIATIONS

Alf : Alfreton	*Glap* : Glapwell	*N Htn* : New Houghton	*Skeg* : Skegby
Ann : Annesley	*Gras* : Grassmoor	*New O* : New Ollerton	*Som* : Somercotes
Ark T : Arkwright Town	*Grn L* : Green Line Ind. Est.	*News V* : Newstead Village	*Sook* : Sookholme
Asvr : Ashover	*Has* : Hasland	*Newt* : Newthorpe	*S Norm* : South Normanton
Bagt : Bagthorpe	*Haz* : Hazelwood	*Nwtn* : Newton	*S Wing* : South Wingfield
Barg : Bargate	*Heag* : Heage	*New T* : New Tupton	*Stanf* : Stanfree
Belp : Belper	*Heath* : Heath	*N Wtn* : New Wessington	*Stan H* : Stanton Hill
B'thpe : Bilsthorpe	*Hghm* : Higham	*Nix H* : Nixs Hill Ind. Est.	*Ston* : Stonebroom
Black : Blackbrook	*Hilc* : Hilcote	*N Wing* : North Wingfield	*Ston H* : Stoney Houghton
B'will : Blackwell	*Holb* : Holbrook	*Nort* : Norton	*Stre* : Stretton
Blid : Blidworth	*Hlmwd* : Holmewood	*Oake* : Oakerthorpe	*Sut A* : Sutton-in-Ashfield
Bsvr : Bolsover	*Huck* : Hucknall	*Old C* : Old Clipstone	*Sut S* : Sutton Scarsdale
Boug : Boughton	*Huth* : Huthwaite	*Old T* : Old Tupton	*Swanw* : Swanwick
Brins : Brinsley	*Iron* : Ironville	*Oll* : Ollerton	*Temp N* : Temple Normanton
Bur J : Burton Joyce	*Jack* : Jacksdale	*Pal* : Palterton	*Tev* : Teversal
But : Butterley	*Klbrn* : Kilburn	*Pap* : Papplewick	*Tib* : Tibshelf
Ches : Chesterfield	*Kirk A* : Kirkby-in-Ashfield	*Pent* : Pentrich	*Tux* : Tuxford
Chur W : Church Warsop	*Lan M* : Langley Mill	*Pils* : Pilsley	*Und* : Underwood
Clay C : Clay Cross	*Lang* : Langwith	*Pinx* : Pinxton	*Up L* : Upper Langwith
Clip V : Clipstone Village	*Lang J* : Langwith Junction	*Ple* : Pleasley	*Wain* : Waingroves
Cod : Codnor	*Lea* : Leabrooks	*Ple V* : Pleasley Vale	*W'by* : Walesby
Cuc : Cuckney	*L'by* : Linby	*Pye B* : Pye Bridge	*Wars* : Warsop
Dane : Danesmoor	*Los* : Loscoe	*Rain* : Ravenshead	*Wars V* : Warsop Vale
Denb : Denby	*Lwr H* : Lower Hartshay	*R'hd* : Ravenshead	*W'low* : Wellow
Den V : Denby Village	*Lwr P* : Lower Pilsley	*Ridd* : Riddings	*Wess* : Wessington
Doe L : Doe Lea	*Mans* : Mansfield	*Rip* : Ripley	*Westh* : Westhouses
Duck : Duckmanton	*Mans W* : Mansfield Woodhouse	*Ruff* : Rufford	*W'wd* : Westwood
Duf : Duffield	*Mare* : Marehay	*Scar* : Scarcliffe	*Whitw* : Whitwell
E'wd : Eastwood	*Med V* : Meden Vale	*Sels* : Selston	*Wing* : Wingerworth
Edwin : Edwinstowe	*Milf* : Milford	*Shire* : Shirebrook	
Farn : Farnsfield	*Mort* : Morton	*Shirl* : Shirland	
For T : Forest Town	*Neth L* : Nether Langwith	*Shir* : Shirley	

INDEX TO STREETS

Acott Clo. *Mort* —4F **35**
Acott Hill. *Rip* —1D **62**
Acreage La. *Shire* —5J **17**
Acres Rd. *Lwr P* —5H **25**
Acres, The. *Lwr P* —4H **25**
Acre, The. *Kirk A* —7F **49**
Adams Ct. *R'hd* —2F **61**
Adams Way. *Mans* —6G **41**
Addison Dri. *Alf* —6H **45**
Addison Rd. *Ston* —6F **35**
Addison St. *Tib* —2C **36**
Adelaide Wlk. *Iron* —7B **56**
Adlington Av. *Wing* —5C **12**
Adrians Clo. *Mans* —4E **40**
Alandale Av. *Lang J* —2K **17**
Albany Clo. *Mans W* —7C **30**
Albany Dri. *Mans W* —7C **30**
Albany Pl. *Mans W* —7C **30**
Alberta Av. *Sels* —4H **57**
Albert Av. *Jack* —7D **56**
Albert Clo. *Kirk A* —2G **59**
Albert Rd. *Rip* —2C **62**
Albert Sq. *Mans* —4C **30**
Albert Sq. *Sut A* —7C **38**
 (off Low St.)
Albert St. *Belp* —3D **66**
Albert St. *Iron* —6B **56**
Albert St. *Lea* —3H **55**
Albert St. *Mans* —3B **40**
Albert St. *Mans W* —4C **30**
Albert St. *Rip* —3E **62**
Albert St. *S Norm* —4C **46**
Albert St. *Stan H* —3A **38**
Albert St. *Wars* —2H **19**
Albine Rd. *Lang J* —1H **17**
Albion Rd. *Sut A* —7D **38**
Albion St. *Mans* —7A **30**
Albion St. *Rip* —3E **62**
Alcock Av. *Mans* —2D **40**
Aldercar La. *Mans W* —7D **64**
Alder Clo. *For T* —7E **30**
Alder Clo. *Shire* —2H **17**
Alder Ct. *Mans* —4H **39**
Alder Gro. *Mans W* —3B **30**
Alder Gro. *New O* —2H **23**
Alder Rd. *Belp* —4E **66**
Alder Way. *Shire* —2H **17**
Alder Way. *Sut A* —6B **38**
Alexander Av. *Sels* —4F **57**
Alexander Ter. *Pinx* —2E **56**
Alexandra Av. *Mans* —5B **40**
Alexandra Av. *Mans W* —4B **30**
Alexandra Av. *Sut A* —5D **38**
Alexandra St. *Kirk A* —4F **49**
Alexandra St. *Wars* —2G **19**
Alexandra Ter. *Stan H* —3A **38**
Alfred Ct. *Mans* —2B **40**
Alfred Rd. *Klbrn* —7K **67**
Alfred St. *Alf* —7F **45**
Alfred St. *Kirk A* —6E **48**
Alfred St. *Pinx* —6E **46**
Alfred St. *Ridd* —5K **55**
Alfred St. *Rip* —2E **62**
Alfred St. *S Norm* —5B **46**
Alfred St. *Sut A* —5D **38**
Alfreton Rd. *Cod* —4J **63**
Alfreton Rd. *Huth* —3H **47**
Alfreton Rd. *Pinx* —6E **46**
Alfreton Rd. *Pye B & Sels*
 —5C **56**
Alfreton Rd. *Shir* —4F **45**
Alfreton Rd. *S Norm* —5A **46**
Alfreton Rd. *Tib* —7J **35**
Alfreton Rd. *Und* —7K **57**
Alices Vw. *N Wing* —7G **13**
Allcroft St. *Mans W* —4C **30**
Allendale Rd. *Rain* —2D **52**
Allendale Way. *For T* —7E **30**

Allen Dri. *Mans* —4F **41**
Allen's Grn. Av. *Sels* —5H **57**
Allington Dri. *Mans* —2H **39**
Allport Ter. *Westh* —1J **45**
Allstone Lee. *Belp* —2D **66**
Alma Rd. *N Wing* —7G **13**
Alma Rd. *Sels* —6H **57**
Alma St. *Alf* —6G **45**
Alma St. *N Wing* —2E **24**
Alma St. *Rip* —2D **62**
Almond Av. *Rip* —4D **62**
Almond Av. *Shire* —2J **17**
Almond Gro. *Kirk A* —4D **48**
Almond Gro. *Swanw* —3G **55**
Almond Ri. *For T* —7E **30**
Alport Clo. *Belp* —2F **67**
Alport Pl. *Mans* —2H **41**
Althorp Clo. *Swanw* —4F **55**
Alton Rd. *Belp* —3G **67**
Amber Clo. *Rain* —1E **52**
Amber Ct. *Belp* —1E **66**
Amber Grn. *Oake* —4B **44**
Amber Gro. *Alf* —1F **55**
Amber Heights. *Rip* —2C **62**
Amber Pl. *Clay C* —4A **24**
Ambleside. *New O* —2G **23**
Amerthyst Clo. *Rain* —1E **52**
Andover Rd. *Mans* —3G **39**
Andrew Dri. *Blid* —6C **52**
Angela Av. *Kirk A* —2F **59**
Anglia Way. *Mans* —6H **41**
Anglia Way. Ind. Est. *Mans*
 —6H **41**
Ankerbold Rd. *New T* —7D **12**
Annesley Cutting. *Ann* —3F **59**
Annesley La. *Sels* —5J **57**
Annesley Rd. *Huck* —5F **59**
Annesley Way. *Mans* —3J **39**
Anslow Av. *Sut A* —4D **38**
Appian Way. *Clay C* —6B **24**
Appin Rd. *Mans* —4H **39**
Appleby Rd. *N Htn* —2D **28**
Appleton Dri. *Belp* —1F **67**
Appleton Rd. *Blid* —5D **52**
Appleton St. *Wars* —3H **19**
Applewood Clo. *Belp* —2F **67**
Arbour Clo. *Ches* —1D **12**
Arcadia Av. *Shire* —2J **17**
Archibald Clo. *Stan H* —3K **37**
Archibald Rd. *Doe L* —6F **15**
Archway Gro. *Old C* —1F **33**
Archway Rd. *Old C* —1F **33**
Argyle Clo. *Wars* —3F **19**
Argyle St. *Mans* —3D **40**
Argyll Pl. *Rip* —2E **62**
Argyll Rd. *Rip* —2E **62**
Arkwright Av. *Belp* —1G **67**
Arlington Av. *Mans W* —5E **30**
Arlington Dri. *Swanw* —4F **55**
Armstrong Rd. *Mans* —2H **39**
Arran Ct. *Tib* —3B **36**
Arran Sq. *Mans* —4H **39**
Arthur Av. *Kirk A* —2C **58**
Arthur St. *Alf* —5G **45**
Arthur St. *Mans* —3C **40**
Arthur St. *Pinx* —7F **47**
Arthurs Vw. *Iron* —7B **56**
Arun Dale. *Mans W* —6D **30**
Arundel Dri. *Mans* —1K **39**
Ascot Clo. *Kirk A* —7G **49**
Ascot Dri. *Mans* —2F **41**
Ashacre. *Belp* —3H **67**
Ashbourne Av. *Shire* —3K **17**
Ashbourne Av. *Clay C* —3A **24**
Ashbourne Ct. *Shire* —3K **17**
Ashbourne Rd. *Black* —3A **66**
Ashbourne Rd. *Und* —2J **65**

Ashby Av. *Mans W* —3D **30**
Ash Clo. *Pinx* —1F **57**
Ash Cres. *Kirk A* —4B **48**
Ash Cres. *Rip* —4D **62**
Asher La. *Pent* —5C **54**
Ashfield Av. *Mans* —2B **40**
Ashfield Av. *Som* —2K **55**
Ashfield Dri. *Kirk A* —5D **48**
Ashfield Precinct. *Kirk A* —5F **49**
Ashfield Rd. *Huth* —6K **37**
Ashfield St. *Sut A* —4E **38**
Ashford Av. *N Wing* —1G **25**
Ashford Dri. *R'hd* —1H **61**
Ashford Ri. *Belp* —1G **67**
Ashford Ri. *Sut A* —5C **38**
Ashgate. *Sut A* —6B **38**
Ash Gro. *Brins* —4F **65**
Ash Gro. *New T* —7D **12**
Ash Gro. *Sels* —4H **57**
Ash Gro. *Shire* —2H **17**
Ash Gro. *Sut A* —2B **38**
Ashland Rd. *Sut A* —6A **38**
Ashland Rd. W. *Sut A* —6K **37**
Ashlands Clo. *Sut A* —6K **37**
Ashleigh Way. *Mans W* —6G **31**
Ashmore Av. *Sut A* —7A **38**
Ashop Rd. *Belp* —2H **67**
Ashover Clo. *R'hd* —7G **51**
Ashover Rd. *Asvr & Old T*
 —2A **24**
Ashover Vw. *Westh* —1J **45**
Ashton Clo. *Swanw* —4F **55**
Ashton Ct. *Sut A* —4E **38**
Ashton Gdns. *Old T* —2B **24**
Ashton Way. *Belp* —3H **67**
Ashtree Av. *Mans W* —3C **30**
Ash Tree Vw. *N Wing* —1G **25**
Ashwell Av. *Mans W* —3E **30**
Ashwood Av. *Kirk A* —4G **49**
Ashwood Clo. *Mans W* —3E **30**
Ashworth Dri. *Mans W* —4E **30**
Askew La. *Wars* —4G **19**
Aspen Ct. *For T* —7E **30**
Aspen Ri. *Shirl* —1D **44**
Aspley Rd. *Sut A* —6B **38**
Asquith M. *Mans* —3E **40**
Asquith St. *Mans* —3E **40**
Astley Clo. *Kirk A* —3E **58**
Astlow Dri. *Belp* —1F **67**
Astwith Clo. *Hlmwd* —6B **14**
Astwith La. *Pils & Heath* —3C **26**
Atkin La. *Mans* —6B **40**
Attlee Av. *For T* —7G **31**
Audrey Cres. *Mans W* —3B **30**
Ault Hucknall La. *Doe L* —1H **27**
Austin Clo. *Mans* —1E **40**
Austin St. *Shire* —3K **17**
Avenue, The. *Belp* —5D **66**
Avenue, The. *Mans* —6D **40**
Avenue, The. *Sut A* —1B **48**
Averham Clo. *Mans* —3H **39**
Avon Clo. *Kirk A* —3D **58**
Avondale. *Mans* —2E **40**
Avondale Rd. *Bsvr* —6J **5**
Avon Way. *Mans* —4G **41**
Ayncourt Rd. *N Wing* —1H **25**
Azalea Av. *Swanw* —3G **55**
Azalea Clo. *Som* —7A **46**

Babbington St. *Tib* —3C **36**
Babworth Ct. *Mans* —2D **40**
Bacchus Way. *Mort* —4H **35**
Back Cft. *Dane* —6E **24**
Back La. *Glap* —6K **15**
Back La. *Huth* —6H **37**
Back La. *Oll* —4F **23**
Back La. *Pal* —1K **15**

Back La. *Pent* —5C **54**
Back La. *Pils* —6J **25**
Back La. *Sut A* —3D **38**
Back La. *Tib* —4B **36**
Back La. *Wess* —2A **44**
Bk. Wyver La. *Belp* —2D **66**
Bacon La. *Pent* —5B **54**
Badger Way. *For T* —2H **41**
Baggaley Cres. *Mans* —7B **30**
Bagshaw St. *Ple* —3F **29**
Bailey Cres. *Mans* —2J **39**
Bainbridge Rd. *Bsvr* —5H **5**
Bainbridge Rd. *Wars* —3H **19**
Bainbridge Ter. *Stan H* —3B **38**
Baker Clo. *Som* —4K **55**
Baker La. *Alf* —7F **45**
Baker La. *Cuc* —3G **9**
Baker Rd. *Mans W* —2C **30**
Baker Way. *Kirk A* —4H **49**
Bakewell Wlk. *Mans* —3J **41**
Balderton Ct. *Mans* —2J **39**
Baldwin Clo. *For T* —6H **31**
Balfour St. *Kirk A* —6G **49**
Balkham La. *Ston H* —5E **16**
Ballacraine Dri. *Rip* —3F **63**
Ballater Clo. *Mans* —6J **29**
Ball Hill. *S Norm* —4D **46**
Balls La. *Kirk A* —1F **59**
Balmoral Clo. *Mans W* —3E **30**
Balmoral Dri. *Mans* —6J **29**
Bamburgh Clo. *Kirk A* —3C **48**
Bamford Av. *N Wing* —1F **25**
Bamford Dri. *Mans* —3H **41**
Bamford St. *Nwtn* —6C **36**
Bamford St. *Rip* —5D **62**
Banchory Clo. *Mans* —6J **29**
Bancroft La. *Mans* —2K **39**
Bank Av. *Sut A* —1C **48**
Bank Bldgs. *Milf* —7D **66**
Bank Clo. *Bsvr* —3J **5**
Bank Clo. *Shire* —3K **17**
Bank Clo. *Tib* —4B **36**
Banks Av. *Kirk A* —4C **48**
Bank St. *Som* —3J **55**
Bannerman Rd. *Kirk A* —5D **48**
Barbers Wood Clo. *R'hd* —2G **61**
Barbor Rd. *Ple* —4G **29**
Barbor Way. *For T* —5K **31**
Bargate Clo. *Belp* —6G **67**
Bargate Rd. *Belp* —5E **66**
Barham Ter. *Lang J* —1J **17**
Barker La. *Jack* —7D **56**
Barker Av. *Sut A* —3B **38**
Barker St. *Huth* —5H **37**
Barley Cft. *Belp* —5F **67**
Barley Cft. *S Norm* —6D **46**
Barn Clo. *Mans* —4F **41**
Barn Ct. *Kirk A* —5C **48**
Barnes Cres. *Sut A* —2C **48**
Barnfield Clo. *Hlmwd* —7A **14**
Barons Dri. *Boug* —1K **23**
Barrack Yd. *Som* —4K **55**
Barringer Rd. *For T* —7D **30**
Barrowhill Wlk. *Mans* —3H **41**
 (off Jubilee Way N.)
Barrows Hill. *W'wd* —6F **57**
Barrows Hill La. *W'wd* —6F **57**
Bartlett St. *N Htn* —1D **28**
Barton Clo. *For T* —7H **31**
Barton Ct. *Mans* —6G **41**
Barton Knoll. *Belp* —4H **67**
Barton Knowle. *Belp* —3H **67**
Barton St. *Kirk A* —3E **58**
Barton Ter. *Edwin* —4K **21**
Baslow Way. *Mans* —4H **41**
Bassett, The. *Lang J* —1J **17**
Bateman's Yd. *Kirk A* —6B **48**
Bath La. *Mans* —2C **40**

Bradmore Ct. *Mans* —6G **41**
Bradshaw Av. *Ridd* —5K **55**
Bradshaw Cft. *Belp* —1C **66**
Bradwell Gro. *Dane* —7D **24**
Bradwell Way. *Belp* —2F **67**
Braemar Rd. *For T* —5K **31**
Brafield Clo. *Belp* —3H **67**
Brailsford Ct. *Mans* —3H **41**
Brake La. *W'by* —1J **23**
Brake Vw. *New O* —1J **23**
Bramble Clo. *Heath* —6B **14**
Bramble Clo. *New O* —1H **23**
Bramble Clo. *Shire* —1J **17**
Bramble Cft. *Sut A* —1A **48**
Bramble La. *Mans* —4G **41**
Bramble Way. *Klbrn* —5K **67**
Bramble Way. *Som* —7B **46**
Brambling Clo. *Mans* —2E **40**
Bramcote Ct. *Mans* —6G **41**
Bramley Ct. *Sut A* —6D **38**
Bramley Rd. *Doe L* —6G **15**
Bramley St. *Som* —4A **56**
Bramley Wlk. *Mans* —2H **39**
Brampton Ct. *Belp* —3H **67**
Branch La. *Pils* —3A **26**
Brand Ct. *Stan H* —3A **38**
Brand La. *Stan H* —4A **38**
Brandreth Av. *Sut A* —5B **38**
Bransdale Av. *For T* —7E **30**
Brassington Ct. *Mans W* —4E **30**
Brassington La. *Old T* —1C **24**
Brassington St. *Clay C* —4D **24**
Braybrook Clo. *Swanw* —3F **55**
Break La. *Pap* —6E **60**
Brechin Ct. *Mans W* —2B **30**
Breckbank. *For T* —7E **30**
Breck Bank. *New O* —2G **23**
Breck Bank Cres. *New O* —2G **23**
Brecon Clo. *Rain* —1F **53**
Brenden Av. *Som* —4J **55**
Brenden Clo. *Som* —3J **55**
Bretby Ct. *Mans* —3H **41**
Bretton Av. *Bsvr* —4A **6**
Bretton Rd. *Belp* —2J **67**
Bretton Rd. *R'hd* —7H **51**
Briar Briggs Rd. *Bsvr* —3H **5**
Briar Clo. *Alf* —7J **45**
Briar Clo. *Rain* —1D **52**
Briar Clo. *Shire* —5J **17**
Briar Clo. *Stan H* —3K **37**
Briar Ct. *New O* —2G **23**
Briar La. *Mans* —5G **41**
Briar Rd. *New O* —2G **23**
Briars Way. *Rip* —3D **62**
Briarwood Clo. *For T* —7H **31**
Brick Kiln La. *Mans* —2G **39**
Brickyard La. *Cuc* —1H **7**
Brickyard La. *Klbrn* —5K **67**
Brickyard La. *Rip* —3F **63**
Brickyard La. *S Norm* —4C **46**
Bri. End Av. *Sels* —3H **57**
Bridge Foot. *Belp* —2C **66**
Bridge Hill. *Belp* —2C **66**
Bridge St. *Belp* —3D **66**
Bridge St. *Clay C* —4C **24**
Bridge St. *Mans* —2C **40**
Bridge St. *New T* —6D **12**
Bridge St. *Pils* —6J **25**
Bridge Vw. *Milf* —7E **66**
Bridgewater St. *New T* —6C **12**
Bridgford St. *Mans* —4F **41**
Bridle Clo. *Stan H* —3K **37**
Bridle La. *Heag* —2A **62**
Bridle La. *Lea* —4H **55**
Bridle La. *Rip* —1D **62**
(in two parts)
Bridleway, The. *For T* —7F **31**
Brierley Ind. Pk. *Sut A* —4B **38**

Brierley Pk. Clo. *Sut A* —4A **38**
Brierley Rd. *Ston* —6F **35**
Brierly Cotts. *Sut A* —6C **38**
Brierly Rd. *Sut A* —5B **38**
Bright Sq. *Mans* —6H **29**
Bright St. *N Wing* —1F **25**
Bright St. *S Norm* —5B **46**
Brimington Ct. Mans W —4E *30*
(off Radbourne St.)
Brinsley Hill. *Jack* —2E **64**
Brisbane Clo. *Mans W* —2C **30**
Britannia Av. *Wain* —5G **63**
Britannia Rd. *Ches* —1B **12**
Brittain Dri. *Rip* —3G **63**
Broad Dri. *Edwin* —3F **21**
(in two parts)
Broadlands. *S Norm* —6C **46**
Broad La. *Brins* —3G **65**
Broadleys. *Clay C* —5C **24**
Broad Oak Dri. *Brins* —3F **65**
Broadoak Pk. *Kirk A* —2D **58**
Broadway. *Rip* —3E **62**
Broadway. *Swanw* —4F **55**
Broadway Av. *Rip* —3E **62**
Broadway, The. *Mans* —3C **40**
Brockenhurst Rd. *Mans* —3H **39**
Brocklehurst Dri. *Edwin* —7A **22**
Brockley Wood. *Bsvr* —1A **6**
Brockway Clo. *Dane* —6D **24**
Brockwell, The. *S Norm* —6D **46**
Bronte St. *Stre* —4C **34**
Brook Av. *Alf* —7H **45**
Brook Clo. *Alf* —7H **45**
Brook Ct. *Mans* —3H **39**
Brookdale Rd. *Sut A* —6F **39**
Brooke St. *Tib* —3C **36**
Brookfield Av. *Sut A* —5B **38**
Brookfield Clo. *Cod* —3H **63**
Brookfield Cres. *Shire* —2J **17**
Brookfield Rd. *Bsvr* —6J **5**
Brookhill Av. *Pinx* —6F **47**
Brookhill Ct. Sut A —7C *38*
(off Langton Rd.)
Brookhill Ind. Est. *Pinx* —1G **57**
Brookhill La. *Pinx* —6F **47**
Brookhill Rd. *Pinx* —1F **57**
Brookhouse Ct. *Neth L* —5A **8**
Brookland Av. *Mans* —2K **39**
Brook La. *Alf* —7H **45**
Brook La. *Rip* —5D **62**
Brook Side. *Belp* —4D **66**
Brookside Av. *Mans W* —3C **30**
Brookside Way. *Huth* —1G **47**
Brook St. *Clay C* —4A **24**
Brook St. *Los* —7H **63**
Brook St. *Sut A* —7C **38**
Brookvale Av. *Cod* —4H **63**
Brookvale Clo. *Mans* —3G **41**
Broom Av. *Pils* —6J **25**
Broom Av. *Swanw* —4F **55**
Broom Clo. *Belp* —2C **66**
Broom Dri. *Gras* —5E **12**
Broome Acre. *S Norm* —6D **46**
Broomfield Av. *Has* —1D **12**
Broomhill La. *Chur W* —1K **19**
(in two parts)
Broomhill La. *Mans* —1K **39**
Brougham Av. *Mans* —6H **29**
Brown Av. *Mans W* —4A **6**
Brown Cres. *Sut A* —5E **38**
Browning St. *Mans* —2A **40**
Brownlow Rd. *Mans* —1K **39**
Brown St. *Mans* —1K **39**
Brown's Yd. *Som* —3K **55**
Broxtowe Dri. *Mans* —3C **40**
Brunnen, The. *S Norm* —6D **46**
Brunner Av. *Shire* —4K **17**
Brunswick St. *Pils* —7J **25**

Brunt St. *Mans* —3C **40**
Brynsmoor Rd. *Brins* —5G **65**
Buckfast Clo. *Swanw* —3E **54**
Buckingham Clo. *Kirk A* —4D **48**
Buckingham Clo. *Mans W* —3E **30**
Buckingham Clo. *Swanw* —4G **55**
Budby Av. *Mans* —3F **41**
Budby Cres. *Med V* —5A **10**
Budby Rd. *Cuc* —3H **9**
Budget La. *Scar* —1C **16**
Bullace Clo. *For T* —7E **30**
Bullock Clo. *Mans W* —3B **30**
Bullock La. *Ridd* —6A **56**
Bullsmoor. *Belp* —3G **67**
Bully La. *Wars V* —4D **18**
Bulwer Rd. *Kirk A* —5D **48**
Bumpmill La. *Shirl* —1B **44**
Bungalows, The. *Ston* —6E **34**
Bunyan Cres. *Ston* —6F **35**
Bunyan Grn. Rd. *Sels* —4F **57**
Burbage Clo. *Belp* —3H **67**
Burbage Ct. *Mans* —3H **41**
Burgess Clo. *Has* —1D **12**
Burke Dri. *Som* —3K **55**
Burleigh Cres. *Swanw* —3F **55**
Burley Clo. *Ches* —1A **12**
Burley Rd. *Ches* —1A **12**
Burlington Av. *Lang J* —1K **17**
Burlington Dri. *Mans* —6J **29**
Burma Rd. *Blid* —5C **52**
Burnaston Ct. *Mans W* —4E **30**
Burnaston Rd. *Mans* —3H **41**
Burnham Ct. *Mans* —5C **40**
Burns Av. *Mans W* —6C **30**
Burns Dri. *Gras* —4E **12**
Burnshaw St. *Stre* —4C **40**
Burnside Av. *Shirl* —1C **44**
Burnside Clo. *Kirk A* —3D **48**
Burnside Dri. *Mans* —6J **29**
Burns La. *Wars* —3H **19**
Burns St. *Mans* —2A **40**
Burns, The. *Wars* —2J **19**
Burn St. *Sut A* —6E **38**
Burnt Oaks Clo. *Mans W* —5D **30**
Burrow Wlk. *Kirk A* —6C **42**
Burton Clo. *Sut A* —7A **38**
Burton Rd. *Sut A* —6A **38**
Burwell Ct. *Mans W* —4E **30**
Burwood Av. *Mans* —2G **41**
Buskeyfield La. *Cuc* —2E **8**
Butler Cres. *Mans* —6H **29**
Butler Dri. *Blid* —6B **52**
Butterfield Cres. *Swanw* —4F **55**
Butterley Cft. Bus. Cen. *Rip* —4F **63**
Butterley Hill. *Rip* —2D **62**
Butterley La. *Rip* —7D **54**
Butterley Row. *Rip* —7D **54**
Buttermilk La. *Bsvr* —3E **4**
Buttery La. *Sut A* —1A **38**
Butt La. *Mans W* —6C **30**
Butts, The. *Belp* —4E **66**
Buxton Rd. *Mans* —7H **29**
Byron Av. *Alf* —6H **45**
Byron Av. *Kirk A* —3F **49**
Byron Av. *Mans W* —6C **30**
Byron Av. *Sut A* —5F **39**
Byron Clo. *Gras* —4E **12**
Byron Cres. *R'hd* —7E **50**
Byron Gro. *Ston* —7F **35**
Byron Rd. *Ann* —3G **59**
Byron St. *Blid* —5D **52**
Byron St. *Mans* —2A **40**
Byron St. *News V* —5H **59**
Byron St. *Shire* —3J **17**
Byron St. *Shirl* —1C **44**

Bythorn Clo. *Skeg* —4F **39**
Bywell La. *Klbrn* —6K **67**

C

Cabot Clo. *Belp* —2J **55**
Cadeby Ct. *Ridd* —5J **55**
Caernarfon Clo. *Swanw* —4G **55**
Calke Av. *Huth* —7G **37**
Calke Ri. *Rip* —3F **63**
Calladine La. *Sut A* —2A **48**
Calver Av. *N Wing* —1G **25**
Calver Clo. *Belp* —1F **67**
Calver St. *Mans W* —5E **30**
Cambourne Gdns. *R'hd* —1F **61**
Cambria St. *Ple* —4G **29**
Cambridge Clo. *Rain* —2D **52**
Cambridge Cres. *Doe L* —6G **15**
(in two parts)
Cambridge Rd. *Rain* —2C **52**
Cambridge St. *B'will* —1B **30**
Cambridge St. *Mans* —4A **40**
Camerons, The. *Mans* —4H **39**
Campbell St. *Belp* —4D **66**
Campion Clo. *Shire* —4H **17**
Canada St. *Belp* —5E **66**
Candlemass Ct. *Mans W* —6D **30**
Cannell Clo. *Clay C* —4B **24**
Canon St. *Mans* —1A **40**
Canterbury Clo. *Mans W* —3C **30**
Cantley Rd. *Ridd* —5J **55**
Cape St. *Mans* —2K **39**
Carburton Av. *Med V* —6K **9**
Carburton Way. *Kirk A* —4H **49**
Cardale Rd. *Ple* —4G **29**
Cardinal Ct. *Sut A* —1G **49**
Cardle Clo. *For T* —6G **31**
Carisbrook Av. *Mans* —2G **41**
Carisbrooke Clo. *Kirk A* —6G **49**
Carlton Clo. *Dane* —6D **24**
Carlton Clo. *For T* —5K **31**
Carlton Rd. *Ches* —1A **12**
Carlton St. *Mans* —7C **30**
Carlton Wlk. *Kirk A* —4D **48**
Carnarvon Gro. *Sut A* —6K **37**
Carnarvon Rd. *Huth* —7H **37**
Carnarvon St. *Tev* —4K **37**
Carnfield Hill. *S Norm* —5J **45**
Carnoustie Clo. *Kirk A* —3C **48**
Caroline Clo. *R'hd* —7H **51**
Carpenter Av. *Mans* —6H **29**
Carr Clo. *S Norm* —3C **46**
Carr Farm Rd. *Kirk A* —2D **58**
Carrfield Clo. *Sut A* —6B **38**
Carr Gro. *Kirk A* —5C **48**
Carr La. *Pal* —7G **5**
Carr La. *S Norm* —3C **46**
Carr La. *Wars* —3G **19**
Carr Va. Rd. *Bsvr* —5H **5**
Carsic La. *Sut A* —6C **38**
Carsic Rd. *Sut A* —4B **38**
Carsington Ct. *Mans W* —5E **30**
Carter La. *Mans* —3D **40**
Carter La. *Shire* —3H **17**
Carter La. *Wars V* —3A **18**
Carter La. E. *S Norm* —4E **30**
Carter La. W. *Shire* —3H **17**
Carter La. W. *S Norm* —5D **46**
Cartwright La. *S Norm* —3G **47**
Carver Clo. *Edwin* —6K **21**
Casson St. *Iron* —7A **56**
Castle Dri. *Cod* —4K **63**
Castle Dri. *Som* —3K **55**
Castlefields. *Iron* —1B **64**
Castle Grn. *Bsvr* —6K **5**
Castle Hill Clo. *Kirk A* —5C **48**
Castle La. *Bsvr* —5H **5**
Castle La. *Iron* —2A **64**
Castle M. *Mans* —5B **30**

Dam La. *Shirl* —1F **45**
Damon Clo. *Pils* —7J **25**
Dam Side. *Belp* —4E **66**
Danbury Clo. *Gras* —4E **12**
Danesbury Cres. *Denb* —6K **67**
Danesbury Ri. *Denb* —6K **67**
Danesmoor Ind. Est. *Dane*
　　　　　—5F **25**
Daniel Cres. *Mans* —2K **39**
Dannah Cres. *Rip* —3F **63**
Dannah St. *Rip* —2E **62**
Danners Hill. *Pap* —7D **60**
Dark La. *Asvr* —6J **25**
Dark La. *Holb* —7F **67**
Dark La. *N Wing* —1G **25**
Darley Av. *Kirk A* —5G **49**
Darley Av. *N Wing* —1G **25**
Darley Dale Clo. *Mans* —6C **40**
Darley Dri. *Rip* —1C **62**
Darley Way. *N Wing* —1G **25**
　(in two parts)
Darlton St. *Mans* —3H **39**
Darricott Clo. *Rain* —2D **52**
Darwin Clo. *Mans* —6C **40**
Darwood La. *Bsvr* —6J **5**
Davenport Clo. *New T* —7C **12**
Davey Ct. *Bsvr* —3H **5**
Davey Rd. *Mans* —2K **39**
David St. *Kirk A* —3F **49**
Davies Av. *Sut A* —5C **38**
Davies Clo. *Sut A* —6C **38**
Davis Clo. *Clip V* —4D **32**
Dawgates La. *Ple* —6D **28**
Daykins Row. *Cod* —5J **63**
Days La. *Belp* —4D **66**
Day St. *Wars* —3H **19**
Deacon Clo. *Swanw* —4E **54**
Deamon St. *B'wll* —1A **46**
Dean Clo. *Mans* —5C **40**
Deansgate. *Ple* —3E **28**
Debdale Ga. *Mans W* —6A **30**
　(in two parts)
Debdale La. *Mans* —6K **29**
Deepdale. *Iron* —7B **56**
Deepdale Gdns. *Sut A* —5D **38**
Deepdale Pk. *Sut A* —5D **38**
Deepdale Rd. *Belp* —2F **67**
Deepdale Rd. *Bsvr* —3H **5**
Deepdale Rd. *For T* —7E **30**
Deepdale St. *Sut A* —5D **38**
Deep La. *Pils* —5B **26**
Deerlands Rd. *Wing* —4A **12**
Deerpark Cres. *Wing* —4A **12**
Deincourt Cres. *N Wing* —7F **13**
De Lacy Ct. *New O* —3F **23**
Delamere Clo. *Mans* —5C **40**
Delamere Clo. *Swanw* —4F **55**
Delamere Dri. *Mans* —4C **40**
Dell Lea. *Mans* —6G **41**
Dell, The. *Kirk A* —3D **49**
Delves Bank Rd. *Swanw* —4G **55**
Delves, The. *Swanw* —4F **55**
De Morgan Clo. *Und* —2J **65**
Denbigh Rd. *Rain* —1E **52**
Denbury Rd. *R'hd* —1G **61**
Denby Dri. *Mans* —7D **40**
Denham St. *Clay C* —5D **24**
Dennison Way. *Rip* —4C **62**
Dennor Dri. *Mans W* —3E **30**
Denton Clo. *For T* —7E **30**
Denton Way. *Swanw* —4F **55**
Derby Rd. *Ann* —4F **59**
Derby Rd. *Belp* —5D **66**
Derby Rd. *Ches* —1A **12**
Derby Rd. *Denb* —6K **67**
Derby Rd. *L Eat & Klbrn* —7J **67**
Derby Rd. *Old T* —1B **24**
Derby Rd. *Rip* —3D **62**

Derby Rd. *Swanw* —4E **54**
　(Green, The)
Derby Rd. *Swanw & Rip* —5E **54**
　(Swanwick Hill)
Derbyshire Designer Outlet
　　　Village. *S Norm* —4G **47**
Derbyshire Dri. *W'wd* —7E **56**
Derby St. *Mans* —3C **40**
Derwent Av. *Mans* —3G **41**
Derwent Av. *Milf* —7D **66**
Derwent Clo. *Mans* —4G **41**
Derwent Clo. *Rain* —2D **52**
Derwent Clo. *Wars* —2J **19**
Derwent Dri. *Kirk A* —3E **58**
Derwent Dri. *Sels* —4J **57**
Derwent Dri. *Tib* —3B **36**
Derwent Gro. *Alf* —1F **55**
Derwent Pl. *Clay C* —3A **24**
Derwent Rd. *Rip* —3C **62**
Derwent St. *Belp* —4C **66**
Derwent Va. *Belp* —5D **66**
Derwent Vw. *Belp* —2D **66**
Desborough Rd. *Sels* —4F **57**
Desmond Ct. *Und* —2J **65**
Dethick Way. *N Wing* —1H **25**
Devon Clo. *Gras* —5F **13**
Devon Dri. *Mans* —1K **39**
Devonshire Av. *Rip* —2C **62**
Devonshire Clo. *Huth* —7J **37**
Devonshire Cotts. *Scar* —1C **16**
Devonshire Dri. *Lang* —6K **7**
Devonshire Dri. *Lea* —4H **55**
Devonshire Dri. *Oll* —4E **22**
*Devonshire Sq. Sut A —7C **38***
　(off Manor St.)
Devonshire St. *N Htn* —1D **28**
Devonshire Ter. *Hlmwd* —6A **14**
*Devonshire Vs. Hlmwd —7A **14***
　(off Heath Rd.)
Diamond Av. *Kirk A* —6F **49**
Diamond Av. *Rain* —1E **52**
Dickens Dri. *Hlmwd* —6K **13**
Dingley Clo. *Mans W* —3E **30**
Division Rd. *Shire* —3J **17**
Dixie St. *Jack* —7D **56**
Doe Hill La. *Tib* —4J **35**
Dog and Bear La. *Ann* —6E **58**
Dog La. *Shirl* —7E **34**
Doles La. *Kirk A* —4K **47**
Dolley Av. *Belp* —1F **67**
Dolley Ct. *Mans W* —2C **30**
Dorchester Clo. *Mans* —7D **40**
Dorchester Dri. *Mans* —7D **40**
Dorchester Rd. *Kirk A* —2F **59**
Doreen Dri. *Sut A* —7B **38**
Dormy Clo. *Mans W* —3E **30**
Dorothy Av. *Mans W* —7C **30**
Dorothy Dri. *For T* —7F **31**
Dorset Way. *Mans* —5G **41**
Douglas Rd. *For T* —6H **31**
Douglas Rd. *Som* —3K **55**
Douglas Rd. *Sut A* —7B **38**
Dove Clo. *Kirk A* —7K **47**
Dove Clo. *New O* —3F **23**
Dove Cft. *New O* —3F **23**
Dovedale Av. *Sut A* —1B **48**
Dovedale Clo. *Edwin* —5H **21**
Dovedale Clo. *Mans* —6D **40**
Dovedale Clo. *Rip* —6D **62**
Dovedale Cres. *Belp* —3F **67**
Dove Dri. *Sels* —4J **57**
Dover Beck Clo. *R'hd* —1F **61**
Doveridge Ct. *R'hd* —7G **51**
Dove Rd. *Rip* —3C **62**
Downham Gdns. *R'hd* —1H **61**
Downing St. *S Norm* —4C **46**
Downing St. *Sut A* —5D **38**
Downs, The. *For T* —7F **31**

Draycott Rd. *N Wing* —1F **25**
Drayton Av. *Mans* —7H **29**
Drive, The. *Clip V* —5C **32**
Dronley Dri. *Chur W* —1J **19**
Duce Rd. *Sut A* —1F **49**
Duce Vw. *Sut A* —1B **48**
Duckmanton Rd. *Duck* —1C **4**
Duesbury, The. *S Norm* —6D **46**
Dukes Clo. *Hlmwd* —6A **14**
Dukes Clo. *Sut A* —7G **39**
Duke's Dri. *Glap* —2J **27**
Duke St. *Huth* —6J **37**
Duke St. *S Norm* —4C **46**
*Duke St. Sut A —7C **38***
　(off King St.)
Dumbles Rd. *Bsvr* —5H **5**
Dumbles, The. *Sut A* —1A **48**
Dunbar Dri. *Mans* —4H **39**
Duncan Av. *R'hd* —2G **61**
Duncan Clo. *Belp* —1F **67**
Dundee Dri. *Mans W* —2B **30**
Dunelm Clo. *Sut A* —6B **38**
Dunmore Dri. *Mans* —4H **39**
Dunn Brigg. *Mans W* —6D **30**
Dunnett Rd. *Mans* —4J **39**
Dunoon Rd. *Mans* —4J **39**
Dunsford Rd. *Alf* —5H **45**
Dunshill Wlk. *Clay C* —4E **24**
Dunsil Rd. *Pinx* —1F **57**
Dunvegan Av. *Dane* —6E **24**
Dunwoody Clo. *Mans* —2F **41**
Durham Av. *Gras* —5F **13**
Durham Clo. *Mans W* —4D **30**
Dykes Clo. *Bsvr* —4J **5**
Dymond Clo. *Gras* —4F **13**

Each Well La. *Alf* —7F **45**
Eakring Clo. *Mans* —2F **41**
Eakring Ct. *Mans* —3E **40**
Eakring Rd. *B'thpe* —1J **43**
Eakring Rd. *Mans* —3E **40**
　(in two parts)
Eakring Rd. *W'low* —7H **23**
East Cres. *Duck* —1C **4**
East Cres. *Holb* —7G **67**
Eastern Av. *Bsvr* —6K **5**
Eastfield Clo. *Clip V* —6B **32**
Eastfield Dri. *S Norm* —5C **46**
Eastfield Rd. *Rip* —3G **63**
Eastfield Side. *Sut A* —5E **38**
Eastlands La. *Chur W* —1H **19**
Eastland Ter. *Med V* —6A **10**
East La. *Edwin* —5K **21**
Eastleigh Dri. *Mans W* —2B **30**
East St. *Clay C* —4D **24**
East St. *Doe L* —6F **15**
East St. *Scar* —1C **16**
East St. *Sut A* —6E **38**
East Vw. *Bsvr* —7K **5**
East Vw. *Lang* —3A **8**
East Vw. *Shire* —1K **17**
E. View Clo. *Kirk A* —2G **59**
Eastwood Av. *Wars* —2H **19**
Eather Av. *Mans W* —4C **30**
Eaton Clo. *Rain* —2C **52**
Eaton Ct. *Mans* —6G **41**
Eckington Wlk. *Mans* —3H **41**
　(in two parts)
*Eclipse Yd. Mans —2B **40***
　(off Clumber St.)
Edale Clo. *Mans* —6G **41**
Edale Clo. *S Norm* —3D **46**
Edale Ct. *Sut A* —5C **38**
Edale Rd. *Mans* —3H **41**
Edale Way. *Belp* —2D **66**
Eddery Vw. *Mans* —2F **41**
Eden Low. *Mans W* —5D **30**

Edensor Clo. *N Wing* —2F **25**
Edensor Dri. *Belp* —1G **67**
Edgar Av. *Mans* —1C **40**
Edgehill Gro. *Mans W* —6C **30**
Edinburgh Ct. *Swanw* —4G **55**
Edingley Av. *Mans* —2H **39**
Edison St. *Kirk A* —2D **58**
Edmonton Rd. *Clip V* —6A **32**
Edwalton Ct. *Mans* —6G **41**
Edward Av. *Jack* —7D **56**
Edward Av. *Sut A* —5D **38**
Edward St. *Belp* —3E **66**
Edward St. *Kirk A* —4F **49**
Edward St. *Wars* —2G **19**
*Edward Wlk. New T —6D **12***
　(off Queen Victoria Rd.)
Edwin Stowe Dri. *Sels* —4K **57**
Edwin St. *Sut A* —6D **38**
Egerton Clo. *Mans* —2G **41**
Egham Clo. *Rain* —1E **52**
Egmanton Rd. *Med V* —4G **9**
Egmanton Rd. *Mans* —6G **41**
Egstow Pl. *Clay C* —4D **24**
Egstow St. *Clay C* —4D **24**
Eider Clo. *Shire* —4H **17**
Eighth Av. *For T* —1G **41**
Eland Rd. *Lang J* —2K **17**
Elder Clo. *Swanw* —3G **55**
Elder St. *Kirk A* —4C **48**
Elder St. *Sut A* —2B **38**
Eldon St. *Clay C* —4C **24**
Elizabeth Pk. *Iron* —6B **56**
Elkesley Rd. *Med V* —5A **10**
Ellesmere Av. *Alf* —4H **45**
Ellesmere Rd. *For T* —1F **41**
Ellis St. *Kirk A* —5F **49**
Elma La. *Cuc* —1E **8**
Elm Av. *Belp* —5F **67**
Elm Clo. *Bsvr* —5A **6**
Elm Clo. *Pinx* —7F **47**
Elmfield. *Wars* —4G **19**
Elm Gro. *Shire* —4H **17**
Elm Gro. *Clay C* —5D **24**
Elmhurst Av. *S Norm* —6C **46**
Elmhurst Clo. *S Norm* —6B **46**
Elmhurst Dri. *Huth* —6J **37**
Elmhurst Rd. *For T* —7F **31**
Elm Rd. *Pils* —7J **25**
Elms Av. *Alf* —6G **45**
Elms Av. *Rip* —4D **62**
Elms Clo. *Alf* —6G **45**
Elm St. *Temp N* —3H **13**
Elmton La. *Bsvr* —4K **5**
Elm Tree Av. *Mans W* —4A **30**
Elm Tree Av. *Sels* —4H **57**
Elm Tree Av. *Shire* —3H **17**
Elm Tree Av. *Shirl* —1C **44**
Elm Tree Rd. *Kirk A* —4D **48**
Elm Tree Row. *Tib* —5B **36**
Elm Tree St. *Mans* —2C **40**
Elm Wlk. *Pils* —7J **25**
Elmwood Dri. *Alf* —7J **45**
Elsecar Clo. *Belp* —2H **67**
Elston Clo. *Mans* —7H **29**
Elton Clo. *Mans* —3H **41**
Elton Clo. *N Wing* —3G **25**
Elton Rd. *Mans* —3F **41**
Elvaston Ct. *Mans* —3H **41**
Elvaston Rd. *N Wing* —2F **25**
Elvin Way. *New T* —7C **12**
Ely Clo. *Mans W* —4D **30**
Elyn Av. *N Wing* —1H **25**
Emerald Clo. *Mans* —7K **29**
Emerald Clo. *Rain* —1E **52**
Emerald Gro. *Kirk A* —6G **49**
Emma Bates Way. *Blid* —4D **52**
Emmas Williams Ct. *Rip* —3D **62**
Empire St. *Mans* —3D **40**

Enderby Cres. *Mans* —3F **41**
Engine La. *Newt* —7K **65**
Enterprise Dri. *Hlmwd* —6K **13**
Epperstone Ct. *Mans* —7G **41**
Epping Way. *For T* —1H **41**
Epsom St. *Mans* —3F **41**
Erewash Rd. *Pinx* —1G **57**
Erewash St. *Kirk A* —5E **48**
Erewash St. *Pye B* —5C **56**
Erica Dri. *S Norm* —3D **46**
Erin Rd. *Pool* —1D **4**
Ethelbert Av. *Kirk A* —2G **59**
Evans Av. *Sut A* —6A **38**
Evelyn Devonshire Cotts. *Pils*
—6B **26**
Everall St. *Mans* —7A **30**
Everest Dri. *Som* —3K **55**
Evershill Clo. *Mort* —4F **35**
Evershill La. *Mort* —4F **35**
Everton Clo. *Mans* —7J **29**
Ewart La. *Alf* —7F **45**
Exchange Row. *Mans* —2B **40**
(off Queen St.)
Exe Fold. *Mans W* —6D **30**
Exell Ter. *Stre* —5C **34**
Exford Ct. *Mans W* —2C **30**
Export Dri. *Huth* —2H **47**
Eyam Clo. *Mans* —3H **41**
Eyam Clo. *N Wing* —7G **13**
Eyam Wlk. *Belp* —2E **66**
Eyre St. *Clay C* —5C **24**

Fabric Vw. *Hlmwd* —7K **13**
Fackley Rd. *Tev* —2K **37**
Fackley Way. *Stan H* —3K **37**
Factory Rd. *Kirk A* —5E **48**
Factory Yd. *Sut A* —5E **38**
Fairfield Av. *Hilc* —1E **46**
Fairfield Av. *Ston* —5H **35**
Fairfield Clo. *Neth L* —4A **8**
Fairfield Dri. *Mans* —2G **41**
Fairfield Dri. *N Wing* —2G **25**
Fairfield La. *Glap* —3A **28**
Fairfield Rd. *Bsvr* —6J **5**
Fairfield Rd. *Sut A* —6F **39**
Fairfields Dri. *R'hd* —7C **50**
Fairhaven. *Kirk A* —7F **49**
Fairholme Cvn. Pk. *Oll* —4F **23**
Fairholme Clo. *Clip V* —6B **32**
Fairholme Dri. *Mans* —7J **29**
Fairlawns. *Mans* —2H **41**
Fairlie Av. *Mans* —4H **39**
Fair Vw. *Mans W* —6G **31**
Fairview Av. *Und* —2H **65**
Fairways Dri. *Kirk A* —3D **48**
Fairways, The. *Dane* —5E **24**
Fairways, The. *Mans W* —2D **30**
Fairweather Clo. *Boug* —1K **23**
Falcons Ri. *Belp* —2G **67**
Fal Paddock. *Mans W* —6D **30**
Fancett Gro. *Kirk A* —6G **49**
Fancett Pk. *Edwin* —6A **22**
Faraday Rd. *Mans* —4E **40**
Far Cft. Av. *Sut A* —6A **38**
Far Laund. *Belp* —2F **67**
Farm Clo. *Belp* —3G **67**
Farm Clo. *Rip* —5B **54**
Farm Clo. *Som* —3J **55**
Farm Cft. Rd. *Mans W* —2C **30**
Farmfields Clo. *Bsvr* —3G **5**
Farmilo Cres. *Mans* —7J **29**
Farm Vw. *New T* —7D **12**
Farm Vw. Rd. *Kirk A* —5G **49**
Farmway. *Mans W* —6C **30**
Farnah Grn. Rd. *Belp* —5B **66**
Farndale Clo. *Sut A* —4D **38**
Farndale Rd. *Sut A* —4D **38**

Farndon Rd. *Sut A* —1F **49**
Farndon Way. *Mans* —2J **39**
Farnsfield Ct. *Mans* —7G **41**
Farnsworth Av. *Rain* —7A **42**
Farnsworth Gro. *Huth* —6H **37**
Farrendale Clo. *For T* —7D **30**
Farr Way. *Blid* —6C **52**
Fearn Av. *Rip* —3E **62**
Featherbed La. *Bsvr* —1J **5**
Featherstone Clo. *Mans* —5H **39**
Felley Av. *Kirk A* —2C **58**
Felley Av. *Kirk A* —2C **58**
Felley Mill La. (North). *Und*
—2K **65**
Felley Mill La. (South). *Und*
—3J **65**
Fellside. *Belp* —3E **66**
Fell Wilson Gro. *Wars* —3J **19**
Fell Wilson St. *Wars* —3J **19**
Felton Av. *Mans W* —1C **30**
Fen Clo. *Nwtn* —6C **36**
Fenwick St. *Wars* —3H **19**
Ferguson Av. *Mans W* —4B **30**
Fern Bank Av. *B'wll* —1A **46**
Fern Clo. *Heath* —6B **14**
Fern Clo. *R'hd* —2H **61**
Fern Clo. *Shire* —1J **17**
Ferndale Clo. *New O* —1J **23**
Fern Lea. *Bsvr* —6D **34**
Fernleigh Ri. *For T* —7D **30**
Fern St. *Sut A* —5C **38**
Fernwood Clo. *For T* —7G **31**
Fernwood Clo. *Shirl* —6D **34**
Ferrers Way. *Rip* —1C **62**
Festus St. *Kirk A* —6E **48**
Field Clo. *Mans W* —3D **30**
Field Dri. *Shire* —5J **17**
Fielden Av. *Mans* —6H **29**
Field La. *Belp* —3D **66**
Field La. *Blid* —6B **52**
Field La. *Glap* —2K **27**
Field La. *S Norm* —3A **46**
Field Pl. *Kirk A* —2B **48**
Field Row. *Belp* —3D **66**
Field St. *Cod* —5H **63**
Field Ter. *Rip* —3D **62**
Field Vw. *Ches* —1A **12**
Field Vw. *S Norm* —3C **46**
Fieldview. *Sut A* —1A **48**
Fifth Av. *Clip V* —5B **32**
Fifth Av. *Edwin* —5H **21**
Fifth Av. *For T* —1G **41**
Findern Clo. *Belp* —1F **67**
Findern Ct. *Mans* —3H **41**
Finley Way. *S Norm* —6D **46**
Finningley Rd. *Mans* —7G **41**
Firbeck Av. *Mans* —4F **41**
Fir Clo. *Shire* —1J **17**
Firemans Row. *Sut A* —7C **38**
Firestone. *Haz* —6B **66**
Firs Av. *Alf* —5G **45**
Firs Av. *Rip* —3D **62**
Firs Gdns. *Alf* —6G **45**
First Av. *Clip V* —5C **32**
First Av. *Edwin* —5J **21**
First Av. *For T* —7G **31**
First Av. *Rain* —7B **42**
Fir Tree Av. *Stre* —5C **34**
Fir Tree Clo. *For T* —6K **31**
Fir Vw. *New O* —2H **23**
Fisher La. *Mans* —4C **40**
Fishers St. *Kirk A* —2E **58**
Fishponds Clo. *Wing* —4A **12**
Fishpool Rd. *Blid* —7K **51**
Fiskerton Ct. *Mans* —6G **41**
Fitzherbert St. *Wars* —3J **19**
Five Pits Trail. *N Wing* —6G **13**
Flat, The. *Klbrn* —7K **67**
Flatts La. *W'wd* —1F **65**

Flaxpiece Rd. *Clay C* —5C **24**
Fleet Cres. *Belp* —4D **66**
Fleet Pk. *Belp* —4E **66**
Fleet, The. *Belp* —5D **66**
Fletcher's Row. *Rip* —2F **63**
Fletcher St. *Rip* —2E **62**
Fletchers Way. *For T* —1H **41**
Flint Av. *For T* —7F **31**
Flintham Ct. *Mans* —7H **41**
Florence Rd. *Clay C* —4D **24**
Flowery Leys La. *Alf* —7H **45**
Fonton Hall Dri. *Sut A* —2K **47**
Ford Av. *Los* —7J **63**
Fordbridge La. *B'wll* —1B **46**
Ford Clo. *Rip* —4C **62**
Ford St. *Belp* —3D **66**
Ford St. *Old T* —1D **24**
Forest Av. *Mans* —4C **40**
Forest Clo. *Belp* —2F **67**
Forest Clo. *Kirk A* —3E **58**
Forest Clo. *Rain* —1E **52**
Forest Clo. *Sels* —4K **57**
Forest Corner. *Edwin* —4J **21**
Forest Ct. *Mans* —2H **41**
Forest Dri. *Pils* —6J **25**
Foresters Way. *Rip* —2C **62**
Forest Gdns. *Kirk A* —3F **59**
Forest Hill. *Mans* —7C **40**
Forest Ho. Mobile Home Pk. *Oll*
—4F **23**
Forest Ri. *Wars* —5J **19**
Forest Rd. *Blid* —5D **52**
Forest Rd. *Clip V* —5A **32**
Forest Rd. *Kirk A* —3E **58**
Forest Rd. *Mans* —5B **40**
Forest Rd. *New O* —3F **23**
Forest Rd. *Sut A* —3D **38**
Forest Rd. *Wars* —5K **19**
Forest St. *Kirk A* —3E **58**
(Forest Rd.)
Forest St. *Kirk A* —6F **49**
(Kingsway)
Forest St. *Sut A* —6C **38**
Forest Vw. *New O* —3F **23**
Forge La. *Ple* —5F **17**
(in two parts)
Forge Row. *Iron* —1B **64**
Forster St. *Kirk A* —5D **48**
Forty Horse Clo. *Rip* —3G **63**
Fossetts Av. *Sels* —4H **57**
Foster St. *Mans* —3C **40**
Foston Clo. *Mans* —3H **41**
Foundry La. *Milf* —7D **66**
Foundry Ter. *News V* —4J **59**
Fountains Clo. *Kirk A* —5G **49**
Four Seasons Shop. Cen. *Mans*
—2B **40**
Fourth Av. *Clip V* —5B **32**
Fourth Av. *Edwin* —5H **21**
Fourth Av. *For T* —1G **41**
Fourth Av. *Rain* —7B **42**
Fox Covert Clo. *Sut A* —1A **48**
Fox Covert Way. *For T* —2H **41**
Fox Cft. *Tib* —4B **36**
Fox Hill. *Scar* —1D **16**
Foxhill Clo. *Sut A* —6K **37**
Foxpark Vw. *Tib* —4A **36**
Fox St. *Kirk A* —3D **58**
Fox St. *Sut A* —6D **38**
Foxwood Clo. *Has* —1D **12**
Frances Clo. *Bsvr* —6J **5**
Frances St. *Brins* —3F **65**
Francis St. *Mans* —2E **40**
Francis Way. *Mans* —5J **39**
Franderground Dri. *Kirk A*
—5C **48**
Frank Av. *Mans* —4K **39**
Frankel Dri. *Edwin* —6H **21**

Franklin Rd. *Jack* —7C **56**
Fraser Av. *Kirk A* —6B **48**
Fraser Dri. *Boug* —1J **23**
Fraser St. *News V* —5H **59**
Frederick Av. *Kirk A* —4B **48**
Frederick St. *Alf* —5G **45**
Frederick St. *Gras* —4E **12**
Frederick St. *Mans* —3C **40**
Frederick St. *Ridd* —6K **55**
Frederick St. *Sut A* —1K **47**
Freeby Av. *Mans W* —3D **30**
French Ter. *Lang* —4A **8**
Friar La. *Wars* —5J **19**
Friars Clo. *Sels* —5K **57**
Friend La. *Edwin* —6K **21**
Fritchley Ct. *Mans* —3H **41**
Frith Gro. *Mans* —2J **39**
Froggett Clo. *Som* —4K **55**
Fuller Clo. *Mans* —5B **40**
Fulwood Clo. *Sut A* —2H **47**
Fulwood Ind. Est. *Sut A* —2H **47**
Fulwood Ri. *Sut A* —2J **47**
Fulwood Rd. N. *Sut A* —1H **47**
Fulwood Rd. S. *Sut A* —2H **47**
Furnace Clo. *Gras* —5E **12**
Furnace Hill. *Clay C* —3D **24**
Furnace Hillock Way. *Gras & Has*
—2E **12**
Furnace La. *Los* —7J **63**
Furnace Row. *Som* —4A **56**

Gable Clo. *Hlmwd* —7K **13**
Gaitskell Cres. *Edwin* —6A **22**
Gamston Rd. *Mans* —6H **41**
Gang La. *Scar* —1C **16**
Garden Av. *N Htn* —1D **28**
Garden Av. *Rain* —1C **52**
Garden Av. *Shire* —3J **17**
Garden Cres. *S Norm* —6B **46**
Garden La. *Sut A* —6E **38**
(in two parts)
Garden Rd. *Mans* —3B **40**
Garden Row. *Doe L* —6F **15**
Gardens, The. *Mare* —5D **62**
Garden Ter. *News V* —4H **59**
Gardiner Ter. *Stan H* —3B **38**
Garibaldi Rd. *For T* —6K **31**
Garnon St. *Mans* —4J **39**
Garratt Av. *Mans* —2C **40**
Garret Grn. *Dane* —6E **24**
Garret Gdn. *Dane* —6D **24**
Garside Av. *Sut A* —7B **38**
Garside Cres. *Cod* —4H **63**
Garth Av. *Kirk A* —2C **48**
Garth Rd. *Mans* —5A **40**
Garwick Clo. *For T* —6H **31**
Ga. Brook Clo. *Cod* —3H **63**
Gattlys La. *New O* —2F **23**
Gedling St. *Mans* —5B **40**
Gentshill Av. *Dane* —6E **24**
George Cres. *Ridd* —5J **55**
George Dere Clo. *New O* —1H **23**
George Percival Pl. *Clay C*
—4A **24**
George Shooter Ct. *Wars* —2J **19**
George St. *Alf* —6G **45**
George St. *Belp* —3D **66**
George St. *For T* —7G **31**
George St. *Kirk A* —5B **48**
George St. *Lang* —4A **8**
George St. *Mans* —1K **39**
George St. *Mans W* —5D **30**
George St. *N Wing* —1E **24**
George St. *Pinx* —6E **46**
George St. *Ridd* —5K **55**
George St. *Som* —3K **55**
George St. *S Norm* —5B **46**

Honeyfield Dri. *Rip* —4F **63**
Honister Clo. *Mans* —5C **40**
Honister Ct. *Mans* —5C **40**
(off Honister Clo.)
Hooley St. *Sels* —5H **57**
Hope St. *Mans* —3D **40**
Hopping Hill. *Milf* —7D **66**
Hopping Hill Ter. E. *Milf* —7E **66**
Hopping Hill Ter. W. *Milf* —7E **66**
Hornscroft Rd. *Bsvr* —5J **5**
Horsehead La. *Bsvr* —4K **5**
Horsley Cres. *Holb* —7G **67**
Horsley Rd. *Hors* —7K **67**
Horton Clo. *Swanw* —3F **55**
Hosiery La. *Kirk A* —5E **48**
Houfton Cres. *Bsvr* —3H **5**
Houfton Rd. *Bsvr* —3H **5**
Houfton Rd. *Mans* —1E **40**
Houldsworth Cres. *Bsvr* —3H **5**
Howard Dri. *N Wing* —7G **13**
Howard Rd. *Mans* —1K **39**
Howard St. *Sut A* —5D **38**
Hoylake Clo. *Mans W* —2D **30**
Hoyland Ct. *Belp* —2J **67**
Hucklow Av. *N Wing* —7G **13**
Hucklow Ct. *Mans* —3H **41**
Hucknall Rd. *News V* —4H **59**
Hudson Mt. *Bsvr* —6K **5**
Hunloke Rd. *Hlmwd* —6A **14**
Hunloke Vw. *Wing* —3B **12**
Hunter Dri. *Klbrn* —7K **67**
Hunter Rd. *Belp* —2H **67**
Hunters Ct. *Kirk A* —5C **48**
Huntingdon Av. *Bsvr* —5K **5**
Huntly Clo. *Mans* —4H **39**
Hurst Clo. *Rain* —1B **52**
Hurst La. *Hghm* —4A **34**
Huthwaite La. *B'wll* —7D **36**
Huthwaite La. *Sut A* —6K **37**
Hutt Farm Ct. *R'hd* —2F **61**
Hyndley Rd. *Bsvr* —4H **5**

Idlewells Shop. Cen. *Sut A*
—7C **38**
Ilion St. *Mans* —6K **29**
Independent Hill. *Alf* —7F **45**
Infield La. *Cuc* —1G **9**
Ingles Channel. *Belp* —3D **66**
Ingleton Rd. *Has* —1B **12**
Inkerman Rd. *Sels* —6H **57**
Inkerman St. *Sels* —6H **57**
Inkersall Rd. *Stav* —1A **4**
Institute La. *Alf* —6G **45**
Institute St. *Stan H* —3A **38**
Intake Av. *Mans* —4K **39**
Intake Rd. *Clip V* —4C **32**
Iona Clo. *Tib* —4B **36**
Ireton Houses. *Belp* —4J **67**
Iron Cliff Rd. *Bsvr* —3H **5**
Ivanhoe Clo. *New T* —6D **12**
Iveagh Clo. *Wars* —2J **19**
Iveagh Wlk. *Ridd* —5A **56**
Ivy Gro. *Kirk A* —4D **48**
Ivy Gro. *Rip* —3D **62**
Ivy Spring Clo. *Wing* —3B **12**

Jacklin Ct. *Kirk A* —4D **48**
Jackson Av. *New T* —7C **12**
Jackson Rd. *Dane* —5E **24**
Jackson Rd. *Doe L* —6G **15**
Jackson's La. *Heag* —1H **67**
Jacksons La. *Milf* —7C **66**
Jackson's La. *S Wing* —3A **54**
Jackson Ter. *Med V* —6A **10**
James Murray M. *Mans* —2C **40**
James St. *Kirk A* —2E **58**

James St. *Lea* —4J **55**
James William Turner Av. *Sut A*
—1C **48**
James' Yd. *Mans* —2C **40**
Jasmin Clo. *Shire* —1H **17**
Jasmine Clo. *Swanw* —4F **55**
Jeacock Dri. *Rain* —2E **52**
Jellicoe St. *Lang* —4A **8**
Jenford St. *Mans* —3J **39**
Jenkins Av. *Mans* —2H **39**
Jennison St. *Mans* —7A **30**
Jenny Beckett's La. *Mans*
—4E **40**
Jenny's Ct. *Belp* —2G **67**
Jephson Bldgs. *Sut A* —2D **48**
Jephson Rd. *Sut A* —2D **48**
Jeremy Ct. *Glap* —7K **15**
Jessop Av. *Iron* —7B **56**
Jessop St. *Cod* —5H **63**
Jessop St. *Wain* —5G **63**
Jodrell Av. *Belp* —4H **67**
John Barrow Clo. *Rain* —2E **52**
John O'Gaunts Way. *Belp*
—3H **67**
Johnson Dri. *Mans* —6C **40**
John St. *Alf* —6G **45**
John St. *Clay C* —4D **24**
John St. *N Wing* —1E **24**
John St. *Som* —3J **55**
John St. *Sut A* —5D **38**
John Woodhead Ct. *Mans*
—1K **39**
Joseph St. *Belp* —3D **66**
Jubilee Av. *Rip* —3C **62**
Jubilee Ct. *Belp* —5E **66**
Jubilee Ct. *Pinx* —7F **47**
Jubilee Gdns. *Sut A* —7A **38**
Jubilee Rd. *Sut A* —6B **38**
Jubilee Way. *Mans* —2H **41**
Jubilee Way S. *Mans* —4H **41**
Julia Cres. *Ston* —6F **35**
Junction Rd. *Sut A* —7F **39**
Jura Av. *Rip* —2D **62**

Kaye Rd. *Mans* —2H **39**
Keats Av. *Sut A* —6K **37**
Keats Rd. *Ston* —6F **35**
Keats Wlk. *Ston* —6F **35**
Keatsway. *Gras* —3E **12**
Kedleston Clo. *Huth* —7H **37**
Kedleston Clo. *Rip* —1C **62**
Kedleston Ct. *Tib* —3D **36**
Kedleston Wlk. *Mans* —3H **41**
(off Oak Tree La.)
Kelham Rd. *Mans* —2J **39**
Kelstedge Dri. *Mans* —3H **41**
Kelstern Clo. *Mans* —2G **41**
Kelvin Clo. *For T* —5K **31**
Kempton Rd. *Mans* —2F **41**
Kendal Clo. *Kirk A* —3D **58**
Kendray Clo. *Belp* —2H **67**
Kenilworth Av. *Sut A* —5F **39**
Kenilworth Rd. *Rip* —3C **62**
Kenmere Clo. *Dane* —6D **24**
Kenmore Clo. *Mans* —4J **39**
Kennack Clo. *S Norm* —4E **46**
Kennedy Av. *Mans W* —4D **30**
Kennel La. *Ann* —7D **58**
Kennet Paddock. *Mans W*
—5D **30**
Kenning St. *Clay C* —5C **24**
Kensington Clo. *Mans W* —3E **30**
Kensington Clo. *Sut A* —7C **38**
Kent Av. *Jack* —7D **56**
Kepple Ga. *Rip* —4F **63**
Kerry's Yd. *Klbrn* —7K **67**
Kestral Heights. *Iron* —1B **64**

Kestral Rd. *Mans* —5J **39**
Keys Rd. *Nix H* —1H **55**
Keyworth Clo. *Mans* —2J **39**
Keyworth Dri. *For T* —1H **41**
Kighill La. *R'hd* —4G **61**
Kilburn La. *Belp* —4H **67**
Kilburn Rd. *Belp* —3G **67**
Kilburn Toll Bar. *Klbrn* —6K **67**
Killis La. *Klbrn* —7H **67**
King Edward Av. *Mans* —5A **40**
King Edward St. *Shire* —3K **17**
Kingfield Clo. *Rain* —2D **52**
King George V Av. *Mans* —4E **40**
King John's Rd. *Clip V* —4C **32**
King Rd. *Wars* —3G **19**
Kings Ct. *Kirk A* —3F **59**
Kings Dri. *Brins* —5G **55**
Kingsley Av. *Mans W* —3D **30**
Kingsley Clo. *Mans W* —4D **30**
Kingsley Ct. *Mans W* —3D **30**
Kingsley Cres. *Ston* —6F **35**
Kingsley St. *Kirk A* —6F **49**
Kings Lodge Dri. *Mans* —5J **39**
Kingsmeadow. *Rain* —2E **52**
Kings Mill La. *Mans* —5H **39**
Kings Mill Rd. E. *Sut A* —2A **48**
Kings Mill Way. *Mans* —5J **39**
Kingsthorpe Clo. *For T* —7E **30**
Kingston Dri. *Oll* —4E **22**
Kingston Rd. *Mans* —2D **40**
King St. *Alf* —7F **45**
King St. *Belp* —4D **66**
King St. *Clay C* —5C **24**
King St. *Huth* —6K **37**
King St. *Kirk A* —6E **48**
King St. *Mans* —3D **40**
King St. *Mans W* —6C **30**
King St. *Pinx* —6F **47**
King St. *S Norm* —5B **46**
King St. *Sut A* —7C **38**
King St. *Tib* —2C **36**
King St. *Wars V* —2D **18**
Kingsway. *For T* —7G **31**
Kingsway. *Kirk A* —6F **49**
Kingsway Av. *New O* —1H **23**
Kingswood Av. *Belp* —1G **67**
Kingswood Dri. *Kirk A* —3D **48**
King William Cen. *Iron* —7B **56**
King William St. *Iron* —7B **56**
Kipling St. *Mans* —2A **40**
Kirby Clo. *Blid* —6C **52**
Kirkby Folly Rd. *Sut A* —1F **49**
Kirkby Ho. Dri. *Kirk A* —5C **48**
Kirkby La. *Pinx* —7H **47**
Kirkby Mill Vw. *Kirk A* —5C **48**
Kirkby Rd. *R'hd* —6C **50**
Kirkby Rd. *Sut A* —2C **48**
(in two parts)
Kirk Clo. *Rip* —4C **62**
Kirk Dri. *Boug* —1J **23**
Kirkland Av. *Mans* —3K **39**
Kirkland Clo. *Sut A* —1F **49**
Kirklington Rd. *Rain* —1C **52**
Kirkman Rd. *Los* —7J **63**
Kirks Cft. *Blid* —6B **52**
Kirk's La. *Belp* —4F **67**
Kirkstead Clo. *Pinx* —7F **47**
Kirkstead Rd. *Pinx* —7F **47**
Kirton Clo. *Mans* —2H **39**
Kirton Clo. *Med V* —6A **10**
Kitchener Dri. *Mans* —3C **40**
Kitchener Ter. *Lang* —4A **8**
Kitson Av. *Jack* —7E **56**
Kneesall Clo. *Med V* —7K **5**
Knighton Ct. *N Wing* —2E **24**
Knighton St. *N Wing* —2E **24**
Knoll, The. *Mans* —3J **39**
Knoll, The. *Shire* —4H **17**

Knowl Av. *Belp* —1C **66**
Kynance Clo. *S Norm* —4E **46**

Laburnum Av. *Kirk A* —7B **48**
Laburnum Av. *Shire* —2J **17**
Laburnum Clo. *Bsvr* —5K **5**
Laburnum Clo. *S Norm* —3D **46**
Laburnum Cres. *Swanw* —3G **55**
Laburnum Gro. *Mans W* —4A **30**
Laceby Cl. *Mans W* —4E **30**
Ladybrook La. *Mans* —3H **39**
Ladybrook Pl. *Mans* —2J **39**
Lady Margarets Cres. *Nort* —1J **9**
Ladywell Ct. *Belp* —4E **66**
Ladywood Av. *Belp* —2F **67**
Lake Av. *Los* —7J **63**
Lake Av. *Mans* —2H **39**
Lake Farm Rd. *Rain* —1B **52**
Lakeside Ct. *Ann* —5E **58**
Lake Vw. Dri. *Ann* —5D **58**
Lamb Clo. *E'wd* —6K **65**
Lamb Clo. Dri. *Newt* —7K **65**
Lamb Cres. *Rip* —3F **63**
Lambcroft Rd. *Pinx* —7F **47**
Lambley Av. *Mans* —4F **41**
Lambley Bridle Rd. *Bur J* —4A **18**
Lammas Clo. *Sut A* —7C **38**
Lammas Rd. *Sut A* —7B **38**
Lamond Clo. *Mans* —4J **39**
Lancaster St. *Doe L* —6G **15**
Lander La. *Belp* —3E **66**
Lane End. *Kirk A* —5E **48**
Lane, The. *Rip* —2C **62**
Langar Pl. *For T* —1H **41**
Langer Fld. Av. *Ches* —1A **12**
Langer La. *Ches & Wing* —1A **12**
Langford Rd. *Mans* —3H **39**
Langford St. *Sut A* —6C **38**
Langham Pl. *Mans* —2K **39**
Langley Av. *Som* —3J **55**
Langley Clo. *Mans* —7J **29**
Langley Mill By-Pass. *Brins*
—7E **64**
Langstone Av. *Bsvr* —5A **6**
Langton Av. *Kirk A* —4B **48**
Langton Ct. *Sut A* —7C **38**
(off Langton Rd.)
Langton Hollow. *Sels* —5F **57**
Langton Rd. *Sut A* —7C **38**
Langwell Dri. *For T* —6J **31**
Langwith Dri. *Lang* —5K **7**
Langwith Lodge Dri. *Neth L*
—4B **8**
Langwith Maltings. *Lang* —6K **7**
Langwith Rd. *Bsvr* —5J **5**
Langwith Rd. *Cuc* —4B **9**
Langwith Rd. *Shire* —1K **17**
Lansbury Av. *New O* —1G **23**
Lansbury Av. *Pils* —7J **25**
Lansbury Dri. *S Norm* —4C **46**
Lansbury Gdns. *Mans* —1E **40**
Lansbury Rd. *Edwin* —5K **21**
Lansbury Rd. *Sut A* —1D **48**
Lansdowne Av. *Mans* —7D **40**
Larch Av. *Mans W* —3B **30**
Larch Av. *Rip* —3D **62**
Larch Av. *Shire* —3H **17**
Larch Clo. *Und* —1K **65**
Larchdale Clo. *S Norm* —6C **46**
Larch Rd. *New O* —2H **23**
Large Av. *Heath* —5D **14**
Large Pl. *Mans* —4J **39**
Large St. *Som* —3K **55**
Larkfield Av. *Kirk A* —2C **58**
Larkhall Pl. *Mans* —4H **39**
Larkhill. *Swanw* —3F **55**
Larkhill Clo. *Swanw* —3F **55**

Larkspur Clo. *For T* —7D **30**
Larkspur Clo. *S Norm* —6C **46**
Larwood Cres. *Kirk A* —2D **58**
Lathkil Dri. *S Norm* —5B **46**
Lathkil Gro. *Tib* —3B **36**
Lathkill Dri. *Rip* —6D **62**
Lathkill Dri. *Sels* —4H **57**
Lathkill Gro. *Dane* —7D **24**
Laund Av. *Belp* —1F **67**
Laund Clo. *Belp* —1F **67**
Laund Hill. *Belp* —2E **66**
Laund Nook. *Belp* —2E **66**
Launds Av. *Sels* —4F **57**
Laurel Av. *Ark T* —3A **4**
Laurel Av. *Chur W* —7G **9**
Laurel Av. *For T* —7F **31**
Laurel Av. *Mans* —4C **40**
Laurel Av. *Rip* —3D **62**
Laurel Clo. *Shire* —1H **17**
Laurel Clo. *Swanw* —3G **55**
Laurel Gro. *Kirk A* —5G **49**
Laurel Gro. *S Norm* —5F **39**
Lavender Rd. *Swanw* —3G **55**
Laverick Rd. *Jack* —7C **56**
Lawman Gdns. *Alf* —6F **45**
Lawn Av. *Sut A* —7D **38**
Lawn La. *Sut A* —7D **38**
Lawn Rd. *Sut A* —6F **39**
Lawns Rd. *Kirk A* —3D **58**
Lawrence Av. *Hlmwd* —6K **13**
Lawrence Av. *Kirk A* —5C **48**
Lawrence Av. *Mans W* —4B **30**
Lawrence Av. *Rip* —4C **62**
Lawrence Cres. *Sut A* —5F **39**
Lawrence Dri. *Brins* —4F **65**
Lawrence Pk. *Und* —1K **65**
Laxton Av. *Sut A* —1G **49**
Laxton Dri. *Med V* —6K **9**
Layton Av. *Mans* —2A **40**
Layton Burroughs. *Mans* —2A **40**
Lea Bank. *S Norm* —6C **46**
Leabrooks Av. *Mans W* —3D **30**
Leabrooks Av. *Sut A* —2G **49**
Leabrooks Rd. *Som* —3J **55**
Lea Clo. *R'hd* —1H **61**
Lea Cres. *Ridd* —5J **55**
Leadale Av. *Lea* —4G **55**
Leadale Cres. *Mans W* —3E **30**
Lea La. *Sels* —5H **57**
Leam Glen. *Mans W* —6D **30**
Leamington Dri. *S Norm* —5D **46**
Leamington Dri. *Sut A* —2C **48**
Leamington Hall Bungalows.
    Sut A —1C **48**
Leamington Hall Flats. Sut A
    —1C **48**
(off Leamington Hall Bungalows)
Leamington St. *Rip* —2E **62**
Leamoor Av. *Som* —3H **55**
Lea Rd. *R'hd* —2H **61**
Lea Rd. *Wars* —4J **19**
Leas Av. *Ple* —3E **28**
Leas Rd. *Mans W* —4D **30**
Lea Va. *S Norm* —6C **46**
Leaway, The. *Shire* —4H **17**
Leche Cft. *Belp* —3H **67**
Ledo Av. *Rip* —2D **62**
Leeming Ct. *Wars* —2J **19**
Leeming La. *Mans W* —2E **30**
Leeming La. N. *Mans W* —5D **30**
Leeming Pk. *Mans W* —5C **30**
Leeming Rd. S. *Mans W* —7C **30**
Leeming St. *Mans* —2B **40**
Leen Valley Dri. *Shire* —5H **17**
Lees Av. *Mans* —2H **39**
Lees La. *S Norm* —4B **46**
Leeway Clo. *Rain* —7A **42**
Leeway Rd. *Rain* —7A **42**

Legion Dri. *Sut A* —3B **38**
Leigh Way. *N Wing* —1F **25**
Lemont Rd. *Mans W* —6G **31**
Leopold St. *Sut A* —1C **48**
Leverton Rd. *Mans* —2J **39**
Ley Av. *Alf* —7H **45**
Leycote Way. *Belp* —2E **66**
Ley Cft. *Mans W* —3D **30**
Ley Gdns. *Alf* —7H **45**
Ley La. *Mans W* —4C **30**
Leys Ct. *Belp* —3H **67**
Leyton Av. *Sut A* —4D **38**
Liber Clo. *For T* —1G **41**
Lichfield Av. *Mans* —7C **40**
Lichfield Clo. *Mans* —7C **40**
Lichfield La. *Mans* —6D **40**
Lidget La. *Scar* —7C **6**
Lilac Clo. *Heath* —5B **14**
Lilac Ct. *S Norm* —5C **46**
Lilac Gro. *Bsvr* —5A **6**
Lilac Gro. *Chur W* —7F **9**
Lilac Gro. *For T* —6K **31**
Lilac Gro. *Glap* —7K **15**
Lilac Gro. *Kirk A* —7C **48**
Lilac Gro. *Shire* —2J **17**
Lilac Gro. *S Norm* —6C **46**
Lilac Way. *Shirl* —1D **44**
Limb Gres. *Sut A* —1D **48**
    (in two parts)
Lime Av. *Huth* —6J **37**
Lime Av. *Rip* —3D **62**
Lime Av. *Sut A* —5D **38**
Lime Clo. *Pinx* —7F **47**
Lime Cres. *Belp* —5F **67**
Lime Cres. *Chur W* —1F **19**
Limecroft Vw. *Wing* —4A **12**
Lime Gro. *For T* —6J **31**
Lime Gro. *S Norm* —5C **46**
Limekiln Fields Rd. *Bsvr* —4J **5**
Lime Kiln Pl. *Mans* —3A **40**
Limes Av. *Alf* —5G **45**
Limes Av. *Neth L* —4A **8**
Limes Ct. *Sut A* —7G **39**
Limes Cres. *Shire* —2H **17**
Limes Pk. *Rip* —3C **62**
Limestone Ter. *Mans W* —4B **30**
Lime St. *Kirk A* —6E **48**
Lime St. *Mans* —2C **40**
Lime St. *Sut A* —5E **38**
Lime Tree Av. *Glap* —7K **15**
Lime Tree Av. *Kirk A* —5D **48**
Lime Tree Av. *Mans W* —4A **30**
Lime Tree Av. *Sut A* —3B **38**
Lime Tree Clo. *New O* —2H **23**
Lime Tree Gro. *Dane* —6E **24**
Lime Tree Pl. *Mans* —3C **40**
Lime Tree Pl. *Rain* —1E **52**
Lime Tree Rd. *New O* —2G **23**
Linacre Av. *Dane* —7D **24**
Linbery Clo. *Oake* —6C **44**
Linby Av. *Mans* —3H **39**
Lincoln Clo. *Tib* —3C **36**
Lincoln Dri. *Mans W* —4D **30**
Lincoln St. *Alf* —7F **45**
Lincoln St. *Tib* —3C **36**
Lincoln Way. *N Wing* —2F **25**
Lind Clo. *Rain* —1B **52**
Linden Av. *Clay C* —6D **24**
Linden St. *Clay C* —6D **24**
Linden Dri. *Has* —1D **12**
Linden Gro. *Kirk A* —4B **48**
Linden Gro. *Shire* —2K **17**
Linden Rd. *For T* —1F **41**
Linden St. *Mans* —7A **30**
Linden St. *Shire* —2K **17**
Lindholme Way. *Sut A* —4D **38**
Lindhurst La. *Mans* —7G **41**
    (Bellamy Clo.)

Lindhurst La. *Mans* —5F **41**
    (Berry Hill La.)
Lindley's La. *Kirk A* —7E **48**
Lindley St. *Mans* —2A **40**
Lindley St. *Sels* —5F **57**
Lindrick Clo. *Mans W* —2D **30**
Lindrick Rd. *Kirk A* —3D **48**
Lindsay Av. *Kirk A* —2F **59**
Lindsay Clo. *Mans* —3A **40**
Lindsey Dri. *Mans* —6G **41**
Lingfield Clo. *Mans* —4F **41**
Lingforest Clo. *Mans* —4G **41**
Lingforest Ct. *Mans* —4G **41**
Lingforest Rd. *Mans* —3G **41**
Ling La. *Pal* —3K **15**
Ling La. *Wars* —4A **20**
Lings Cres. *N Wing* —7G **13**
Lings Vw. *Mans* —4J **19**
Lingwood Gro. *Mans* —2G **41**
Links, The. *Mans* —3G **41**
Linnet Dri. *Mans* —2E **40**
Linton Av. *Edwin* —5H **21**
Linton Clo. *Mans* —3H **41**
Linton Dri. *Boug* —2J **23**
Linwood Ct. *Mans W* —4E **30**
Linwood Cres. *R'hd* —7F **51**
Lismore Ct. *Mans* —4H **39**
Lit. Acre. *Mans W* —3E **30**
Lit. Barn Ct. *Mans* —3F **41**
Lit. Barn Gdns. *Mans* —4F **41**
Lit. Barn La. *Mans* —4F **41**
Lit. Breck. *S Norm* —6C **46**
Lit. Carter La. *Mans* —2E **40**
Lit. Debdale La. *Mans* —6K **29**
Little Fen. *Tib* —4B **36**
Lit. Hollies. *For T* —6G **31**
Lit. John Av. *Wars* —5H **19**
Lit. John Clo. *New O* —1H **23**
Lit. John Dri. *Rain* —1C **52**
Little La. *Huth* —7G **37**
Little La. *Ple* —3F **29**
Little La. *Shire* —4H **17**
Littlemoor La. *Nwtn* —6D **36**
Lit. Morton Rd. *N Wing* —2F **25**
Lit. Oak Av. *Kirk A* —3F **59**
Lit. Oak Dri. *Ann* —4D **58**
Littleover Av. *Mans* —3H **41**
Lit. Ricket La. *R'hd* —7D **50**
Lit. Robins Ct. *Mans* —4J **39**
Littlewood La. *Mans W* —1E **30**
Littlewood La. *Ple V* —1A **30**
Littleworth. *Mans* —3C **40**
Litton Av. *Sut A* —4E **38**
Litton Clo. *Belp* —2F **67**
Litton Clo. *R'hd* —7G **51**
Litton Rd. *Mans W* —4E **30**
Livingstone St. *News V* —5J **59**
L.M.S. Cotts. *Ple* —2E **28**
L.N.E.R. Cotts. *Ple* —3D **28**
Locko La. *Pils* —5K **25**
Locko Rd. *Lwr P* —4H **25**
Loco Ter. *Has* —1C **12**
Lodge Dri. *Belp* —2D **66**
Lodge Dri. *Wing* —4A **12**
Lodge La. *Kirk A* —6H **49**
Lodge La. *Lan M* —6A **64**
Lonan Clo. *For T* —6G **31**
Longcourse La. *Duck* —4C **4**
Longcroft Clo. *New T* —7D **12**
Longdale. *For T* —7E **30**
Longdale Av. *R'hd* —2G **61**
Longdale La. *R'hd* —2F **61**
Longden Ter. *Stan H* —3B **38**
Longden Ter. *Wars* —3H **19**
Longedge Gro. *Wing* —3A **12**
Longedge La. *Wing* —4A **12**
Longedge Ri. *Wing* —4B **12**
Longford Wlk. *Mans* —3H **41**

Longhedge La. *N Htn* —1B **28**
Longhill Ri. *Kirk A* —2D **58**
Longland La. *Farn* —6K **53**
Longlands. *Bsvr* —4K **5**
Long La. *Shire* —4J **17**
    (in two parts)
Long Mdw. *Mans W* —3D **30**
Long Mdw. Rd. *Alf* —7F **45**
Longnor Wlk. *Mans* —3H **41**
Long Row. *Belp* —3D **66**
Longshaw Clo. *N Wing* —2F **25**
Longshaw Rd. *Mans* —3H **41**
Long Sleets. *S Norm* —6D **46**
Longster La. *Wars V* —4C **18**
Longstone Ri. *Belp* —1F **67**
Longstone Way. *Mans* —3H **39**
Long Stoop Way. *For T* —2G **41**
Longwalls La. *Black* —1A **66**
Longwood Rd. *Pinx* —1G **57**
Lonsdale Rd. *Pils* —6H **25**
Loom Clo. *Belp* —2G **67**
Lords Clo. *Bsvr* —5J **5**
Lord St. *Mans* —4B **40**
Loscoe-Denby La. *Los* —7J **63**
Losk La. *Pal* —3K **15**
Lound Ho. Clo. *Sut A* —4D **38**
Lound Ho. Rd. *Sut A* —4D **38**
Louwil Av. *Mans W* —3E **30**
Love La. *Ston* —5H **35**
Lwr. Bagthorpe. *Bagt* —1G **65**
Lwr. Chapel St. *Ston* —5H **35**
Lower Dri. *Swanw* —4D **54**
Lwr. Mantle Clo. *Clay C* —4D **24**
Lwr. Oakham Way. *Mans*
    —6K **39**
Lwr. Somercotes. *Som* —4K **55**
Lowes Hill. *Rip* —1D **62**
    (in two parts)
Lowlands Rd. *Belp* —2F **67**
Lowmoor Ct. *Kirk A* —4G **49**
Low Moor Rd. *Kirk A* —4F **49**
Lowmoor Rd. Ind. Est. *Kirk A*
    —3G **49**
Low Rd. *Sut A* —2D **38**
Low St. *Sut A* —7C **38**
Loxley Dri. *Mans* —6G **41**
Lucknow Dri. *Mans* —4J **39**
Lucknow Dri. *Sut A* —6F **39**
Ludborough Wlk. *Mans W*
    —4E **30**
Lumb La. *Haz* —4A **66**
    (in three parts)
Lune Mdw. *Mans W* —5E **30**
Luther Av. *Sut A* —7C **38**
Lydford Rd. *Alf* —5G **45**
Lymington Rd. *Mans* —3H **39**
Lyncroft Av. *Rip* —2E **62**
Lyndale Dri. *Cod* —4H **63**
Lynd Clo. *Sels* —4K **57**
Lyndhurst Av. *Blid* —5D **52**
Lynds Clo. *Edwin* —5K **21**
Lynham Clo. *Dane* —5E **24**
Lynnes Clo. *Blid* —6C **52**
Lynton Clo. *Rip* —1D **62**
Lytham Rd. *Kirk A* —3C **48**

Mabel Av. *Sut A* —1E **48**
McConnell Rd. *Huth* —7H **37**
Macdonald Clo. *Gras* —4F **13**
Mackeney Rd. *Holb* —7G **67**
Mackworth Ct. *Mans* —4H **41**
Madin St. *New T* —7D **12**
Mag La. *Lang* —1G **7**
Magnolia Way. *Swanw* —3G **55**
Maida La. *Oll* —3F **23**
Maid Marian Av. *Sels* —4K **57**
Maid Marion Dri. *Edwin* —5A **22**

Maid Marion Way—Mill St.

Mill Wlk. *Bsvr* —3J **5**
Mill Wlk. *Mans* —2B **40**
(off Quaker Way)
Millway. *For T* —7D **30**
Mill Yd. *Som* —3J **55**
Milner Av. *Cod* —4H **63**
Milner St. *Sut A* —3E **38**
Milton Av. *Stre* —5C **34**
Milton Clo. *Sut A* —5F **39**
Milton Ct. *R'hd* —1G **61**
Milton Cres. *R'hd* —1F **61**
Milton Dri. *R'hd* —1F **61**
Milton St. *Kirk A* —5F **49**
Milton St. *Mans* —2A **40**
Minster Clo. *Kirk A* —4D **48**
Minster Way. *Swanw* —4E **54**
Minton Pastures. *For T* —7G **31**
Misterton. *R'hd* —2F **61**
Misterton Ct. *Mans* —7B **30**
Monk Rd. *Alf* —1H **55**
Monsal Cres. *Tib* —3B **36**
Monsal Dri. *S Norm* —5B **46**
Montague St. *Mans* —3E **40**
Montrose Sq. *Mans W* —2B **30**
Monument Hill. *Iron* —1B **64**
Monument La. *Iron* —2A **64**
(in three parts)
Monyash Way. *Belp* —2F **67**
Mooracre La. *Bsvr* —5A **6**
Moore Clo. *Hlmwd* —6K **13**
Moorfield Av. *Bsvr* —5K **5**
Moorfield La. *Lang* —2K **7**
Moorfield Pl. *Wars* —2J **19**
Moorfield Rd. *Holb* —7G **67**
Moorfield Sq. *Bsvr* —5K **5**
Moorgate Av. *N Htn* —1D **28**
Moorgreen Ind. Pk. *Newt* —7K **65**
Moorhaigh La. *Ple* —5D **28**
Moorland Clo. *Sut A* —3E **38**
Moorland Dri. *Heath* —5B **14**
Moorland Way. *Mans* —3G **41**
Moor La. *Bsvr* —5K **5**
Moor La. *Mans* —3K **39**
Moor La. *Scar* —6D **6**
Moor Ri. *Holb* —7G **67**
Moor Rd. *Brins* —4G **65**
Moorside La. *Holb* —7G **67**
Moor St. *Mans* —3A **40**
Moorview Clo. *Wing* —4B **12**
Moray Sq. *Mans* —4H **39**
Morgan Av. *N Wing* —1H **25**
Morgan Vw. *Hlmwd* —7K **13**
Morley Clo. *Belp* —1J **67**
Morley Clo. *Mans* —4H **41**
Morleyfields Clo. *Rip* —3F **63**
Morley St. *Kirk A* —6F **49**
Morley St. *Stan H* —3A **38**
Morley St. *Sut A* —6D **38**
Mornington Av. *Hlmwd* —7K **13**
Morrell Wood Dri. *Belp* —2H **67**
Morton Av. *Clay C* —4C **24**
Morton Clo. *Mans* —3H **41**
Morton Rd. *Pils* —2J **35**
Morton Rd. *Stre* —3C **34**
Morton St. *Mans* —7J **29**
Morven Av. *Bsvr* —5K **5**
Morven Av. *Mans W* —6B **30**
Morven Av. *Sut A* —7C **38**
Morven Rd. *Kirk A* —5F **49**
Morven Ter. *Wars* —4H **19**
Mosborough Rd. *Huth* —1J **47**
Moseley Rd. *Ann* —3G **59**
Moseley St. *Rip* —2D **62**
Moss Av. *Rain* —7A **42**
Mosscar Clo. *Wars* —6F **19**
Mosscar La. *Wars* —5F **19**
Mossdale Rd. *For T* —1E **40**
Moss La. *Rip* —1D **62**

Moss St. *Sut A* —3C **38**
Moulton Clo. *Belp* —2H **67**
Moulton Clo. *Swanw* —3F **55**
Mount Cres. *S Norm* —7C **46**
Mount Cres. *Wars* —4J **19**
Mt. Milner. *Mans* —3D **40**
Mt. Pleasant. *Kirk A* —2D **58**
Mt. Pleasant. *Mans* —2A **40**
Mt. Pleasant. *Ridd* —6K **55**
Mt. Pleasant. *Rip* —2D **62**
Mt. Pleasant. *Sut A* —5D **38**
Mt. Pleasant Dri. *Belp* —2C **66**
Mount St. *Mans* —1A **40**
Mount, The. *For T* —5K **31**
Mt. View Clo. *Mans* —3D **40**
Mowlands Clo. *Sut A* —7F **39**
Muirfield Clo. *Kirk A* —3C **48**
Muirfield Way. *Mans W* —2D **30**
Mulberry Clo. *Belp* —4F **67**
Mulberry M. *Rip* —6C **62**
Mulberry Clo. *Wing* —3A **12**
Murray St. *Mans* —4B **40**
Muschamp Ter. *Wars* —4H **19**
Muskham Ct. *Mans* —7B **30**
Musters Rd. *Mans V* —5H **59**
Mynd, The. *Mans W* —3E **30**
Myrtle Clo. *Shire* —1H **17**

Nailers Way. *Belp* —2G **67**
Naseby Rd. *Belp* —3H **67**
Needham St. *Cod* —4H **63**
Nesbit St. *Bsvr* —6K **5**
Nesbitt St. *Sut A* —1D **48**
Nest Av. *Kirk A* —6G **49**
Nest Cres. *Kirk A* —6G **49**
Nether Clo. *Swanw* —4F **55**
Nether Clo. *Wing* —5A **12**
Nethercroft La. *Dane* —5E **24**
Nethercross Dri. *Wars* —2J **19**
Netherfield Grange. *Sut A*
—1B **48**
Netherfield La. *Chur W* —7J **9**
Nethermoor Rd. *Old T* —1C **24**
Nethermoor Rd. *Wing* —5A **12**
Nether Springs Rd. *Bsvr* —3H **5**
Newark Clo. *Mans* —7F **41**
Newark Dri. *Mans* —7F **41**
Newark Rd. *Oll* —4E **22**
Newark Rd. *Sut A* —1G **49**
Newark Rd. *W'low* —5H **23**
Newark Way. *Mans* —7G **41**
Newbarn Clo. *Shire* —5H **17**
Newbery Clo. *Edwin* —5J **21**
Newbound La. *Sut A* —5K **27**
Newboundmill La. *Ple* —5D **28**
New Breck Rd. *Belp* —4E **66**
New Bldgs. Dri. *Wars* —1J **31**
Newcastle St. *Huth* —6H **37**
Newcastle St. *Mans* —2A **40**
Newcastle St. *Mans W* —5B **30**
Newcastle St. *Wars* —3H **19**
New Clo. *Blid* —5C **52**
New Clo. *Kirk A* —5E **48**
New Cotts. *Nort* —3F **9**
New Cross St. *Sut A* —6D **38**
New England Way. *Ple* —5G **29**
New Fall St. *Huth* —6H **37**
Newgate La. *Mans* —3C **40**
Newham Av. *Rip* —3C **62**
Newhaven Av. *Mans W* —5B **30**
Newlands Av. *Boug* —2J **23**
Newlands Cres. *Nwtn* —6C **36**
Newlands Dri. *For T* —6K **31**
Newlands Dri. *Ridd* —6J **55**
Newlands Rd. *For T* —1G **41**
(in two parts)
Newlands Rd. *Ridd* —1J **63**

New La. *Blid* —4K **51**
New La. *Hilc* —7E **36**
New La. *Stan H* —3B **38**
New Linden St. *Shire* —3A **18**
New Line Rd. *Kirk A* —6C **48**
Newlyn Dri. *S Norm* —4E **46**
Newmarket La. *Clay C* —5A **24**
Newmarket St. *Mans* —3E **40**
New Mill La. *Mans W* —5D **30**
Newport Cres. *Mans* —7H **29**
New Rd. *Belp* —4D **66**
New Rd. *Blid* —5C **52**
New Rd. *Heag* —1G **67**
New Rd. *Iron* —2J **63**
(Castle La.)
New Rd. *Iron* —1B **64**
(Station La.)
New Row. *Jack* —6C **56**
New Sta. Rd. *Bsvr* —5H **5**
Newstead Clo. *Kirk A* —5G **49**
Newstead Clo. *Sels* —4K **57**
Newstead St. *Mans* —2H **39**
New St. *Alf* —6F **45**
New St. *Bsvr* —3J **5**
New St. *Gras* —4E **12**
New St. *Hilc* —2E **46**
New St. *Huth* —6H **37**
New St. *Kirk A* —6F **49**
New St. *Mort* —4F **35**
New St. *Nwtn* —6C **36**
New St. *N Wing* —2E **24**
New St. *Pils* —7K **25**
New St. *Rip* —3E **62**
New St. *Shirl* —7C **34**
New St. *Som* —3J **55**
New St. *S Norm* —3C **46**
New St. *Sut A* —7C **38**
New St. *Swanw* —4D **54**
New Ter. *Ple* —3D **28**
Newton Clo. *Belp* —1G **67**
Newtondale Av. *For T* —7E **30**
Newton Rd. *Tib* —4B **36**
Newton St. *Mans* —3C **40**
Newtonwood La. *Nwtn* —5D **36**
Nicholson's Row. *Shire* —4K **17**
Nightingale Av. *Ple* —4E **28**
Nightingale Clo. *Dane* —6E **24**
Nightingale Clo. *Rip* —3D **62**
Nightingale Cres. *Sels* —5K **57**
Nightingale Dri. *Mans* —6J **29**
Ninth Av. *For T* —1G **41**
Nix's Hill Ind. Est. *Nix H* —1G **55**
Noel St. *Mans* —2A **40**
Nook, The. *Holb* —7G **67**
Nook, The. *Los* —7J **63**
Nook, The. *Shire* —4H **17**
Norbury Dri. *Mans* —5E **40**
Norbury Way. *Belp* —1G **67**
Norfolk Av. *Gras* —5F **13**
Norfolk Clo. *Mans* —3G **19**
Norfolk Ct. *Mans W* —3E **30**
Norfolk Dri. *Mans* —1B **40**
Norman Av. *Sut A* —1E **48**
Norman Rd. *Rip* —2C **62**
Norman Rd. *Som* —4A **56**
Normanton Av. *Alf* —7J **45**
Normanton Clo. *Edwin* —4H **21**
Normanton Dri. *Mans* —3E **40**
Northam Dri. *Rip* —2C **62**
North Av. *Rain* —1C **52**
North Clo. *S Norm* —5B **46**
North Cres. *Clip V* —5C **32**
North Cres. *Duck* —1C **4**
Northern Bri. Rd. *Sut A* —6D **38**
Northern Vw. *Sut A* —6D **38**
Northfield. *Klbrn* —5K **67**
Northfield Av. *Ple V* —4K **29**
Northfield Dri. *Mans* —3E **40**

Northfield La. *Pal* —2K **15**
Northfield La. *Ple V* —4K **29**
(in three parts)
Northfield Pk. *Mans W* —3B **30**
Northfields Clo. *Sut A* —6C **38**
North Gro. *Duck* —1C **4**
North La. *Belp* —5B **66**
North Pk. *Mans* —6E **40**
(in two parts)
Northrowe. *Kirk A* —3C **58**
North Side. *New T* —6C **12**
North St. *Alf* —7H **45**
North St. *Clay C* —3A **24**
North St. *Doe L* —6F **15**
North St. *Huth* —6J **37**
North St. *Kirk A* —1F **59**
North St. *Lang* —4A **8**
North St. *Nwtn* —7B **36**
North St. *N Wing* —2E **24**
North St. *Pinx* —7F **47**
North St. *Ridd* —5K **55**
North St. *S Norm* —5B **46**
North St. *Sut A* —6D **38**
North St. *Wars V* —2D **18**
N. View St. *Bsvr* —6G **5**
N. Wingfield Rd. *Gras* —2D **12**
Northwood Av. *Sut A* —5B **38**
Norton La. *Cuc* —3H **9**
Norwell Ct. *Mans* —7B **30**
Norwich Clo. *Mans W* —3D **30**
Norwood Av. *Has* —1D **12**
Norwood Clo. *Has* —1E **12**
Norwood Clo. *Sut A* —6K **37**
Norwood La. *Sut A* —5J **63**
Nottingham Clo. *Wing* —4B **12**
Nottingham Dri. *Wing* —4B **12**
Nottingham La. *Ridd* —5A **56**
Nottingham Rd. *Alf* —6G **45**
Nottingham Rd. *Belp* —3E **66**
Nottingham Rd. *Cod* —5J **63**
Nottingham Rd. *Kirk A* —1F **59**
Nottingham Rd. *Mans* —4B **40**
Nottingham Rd. *R'hd* —7E **50**
Nottingham Rd. *Rip* —2E **62**
Nottingham Rd. *Sels* —5G **57**
Nuncar Ct. *Kirk A* —2E **58**
Nuncargate Rd. *Kirk A* —2D **58**
Nunn Brook Ri. *Huth* —1G **47**
Nunn Brook Rd. *Huth* —7G **37**
Nunn Clo. *Huth* —1G **47**
Nursery Av. *Sut A* —7A **38**
Nursery Ct. *Mans* —1C **40**
Nursery Gdns. *S Norm* —6E **46**
Nursery St. *Mans* —1C **40**
Nuttall Clo. *Alf* —7F **45**
Nuttall St. *Alf* —7F **45**
Nuttall Ter. *Doe L* —6F **15**

Oak Av. *Blid* —6D **52**
Oak Av. *Lan M* —7D **64**
Oak Av. *Mans* —1C **40**
Oak Av. *New O* —3H **23**
Oak Av. *Rain* —1E **52**
Oak Av. *Rip* —5D **62**
Oak Av. *Shire* —3H **17**
Oak Bank Clo. *Mans* —1B **40**
Oak Clo. *Pinx* —7E **46**
Oakdale Clo. *Dane* —6E **24**
Oakdale Rd. *Mans* —2K **39**
Oakdale Rd. *S Norm* —6C **46**
Oak Dri. *Alf* —6H **45**
Oakes's Row. *Iron* —6B **56**
Oakfield Av. *Kirk A* —2B **48**
Oakfield Av. *Wars* —5H **19**
Oakfield Clo. *Mans* —7F **41**
Oakfield La. *Wars* —6G **19**
Oakham Bus. Pk. *Mans* —6K **39**

Oakham Clo. *Mans* —5B **40**
Oakhurst Clo. *Belp* —1C **66**
Oakland Av. *Huth* —7H **37**
Oakland Cres. *Ridd* —6K **55**
Oakland Rd. *For T* —1E **40**
Oaklands, The. *S Norm* —6C **46**
Oakland St. *Alf* —6H **45**
Oakleaf Cres. *Sut A* —1A **48**
Oaklea Way. *Old T* —2B **24**
Oakleigh Av. *Mans W* —4E **30**
Oakridge Clo. *For T* —7F **31**
Oak Rd. *Gras* —4F **13**
Oak St. *Kirk A* —5F **49**
Oak St. *Sut A* —2B **38**
Oak Tree Av. *Edwin* —5J **21**
Oak Tree Av. *Glap* —1K **27**
Oak Tree Clo. *Mans* —2H **41**
Oaktree Clo. *Swanw* —3G **55**
Oak Tree Cres. *Mans W* —4B **30**
Oak Tree La. *Mans* —2G **41**
Oaktree Rd. *Hilc* —1E **46**
Oak Tree Rd. *Sut A* —5E **38**
Oakwood Dri. *R'hd* —2G **61**
Oakwood Gro. *Edwin* —7K **21**
Oakwood Rd. *Mans* —5H **41**
Occupation La. *Edwin* —6J **21**
Occupation La. *Kirk A* —4D **48**
Occupation La. *N Wing* —2E **24**
Occupation Rd. *N Htn* —1D **28**
Oddicroft La. *Sut A* —1E **48**
Oddycroft La. *Sut A* —2D **48**
Off The Av. *Sut A* —1C **48**
Ogston La. *Hghm* —5B **34**
Old Chapel Clo. *Kirk A* —5C **48**
Old Chapel La. *Und* —2J **65**
Old Colliery La. *Hlmwd* —7A **14**
Old Fall St. *Huth* —6H **37**
Old Hall Dri. *Wars* —2J **19**
Old Hill. *Bsvr* —4J **5**
Old Hartshay Hill. *Rip* —2C **62**
Old Mnr. Rd. *Mans W* —5B **30**
Old Mkt. Pl. *Mans* —2B **40**
Old Mkt. Pl. *S Norm* —4C **46**
Old Mill Clo. *Pils* —6J **25**
Old Mill La. *Cuc* —3H **9**
Old Mill La. *Mans W* —6C **30**
Old Mill La. Ind. Est. *Mans W*
　—7C **30**
Old Newark Rd. *Mans* —1D **50**
　(in two parts)
Old Peverel Rd. *Duck* —1C **4**
Old Rd. *Sut A* —2D **38**
Old Rufford Rd. *Farn & Oxt*
　—7K **43**
Old Rufford Rd. *Ruff* —7C **22**
Old School Clo. *Doe L* —6F **15**
Old School La. *Ple* —3E **28**
Old Sookholme La. *Wars* —3G **19**
Old Storth La. *S Norm* —6D **46**
Old Ter. *Ple* —4D **28**
Olive Av. *Shire* —1H **17**
Olive Ct. *Sut A* —5D **38**
Olive Gro. *For T* —1F **41**
Ollerton Rd. *Edwin* —5K **21**
Ollerton Rd. *Oxt* —7J **53**
Ollerton Rd. *Tux* —3E **22**
Ollerton Rd. *Whitw* —1F **11**
Omberley Av. *Sut A* —3F **39**
Ontario Dri. *Sels* —4J **57**
Opal Clo. *Rain* —1E **52**
Openacre. *Iron* —7B **56**
Openwoodgate. *Belp* —4H **67**
Openwood Rd. *Belp* —4J **67**
Orange Clo. *Shire* —1H **17**
Orange St. *Alf* —6H **45**
Orchard Clo. *Bsvr* —5K **5**
Orchard Clo. *Holb* —7F **67**
Orchard Clo. *Mans* —7C **40**

Orchard Clo. *Shire* —2J **17**
Orchard Clo. *Swanw* —4D **54**
Orchard Clo. *Wain* —5G **63**
Orchard Cres. *Glap* —7K **15**
Orchard Rd. *Kirk A* —5C **48**
Orchard Rd. *Ridd* —5J **55**
Orchards, The. *Jack* —7D **56**
Orchard St. *Mans* —7B **30**
Orchard, The. *Belp* —3D **66**
Orchard, The. *Cod* —3H **63**
Orchard, The. *Sut A* —7F **39**
Orchard Vw. *Bsvr* —6H **5**
Orchard Vw. *Mans W* —5B **30**
Orchard Wlk. *Kirk A* —5C **48**
Orchard Way. *Sut A* —2A **48**
Orchid Clo. *Kirk A* —3D **48**
Orchid Dri. *Sut A* —1E **48**
Orchid Way. *Shire* —4H **17**
Ormonde St. *Lan M* —7D **64**
Ormonde Ter. *Lan M* —7D **64**
Orton Way. *Belp* —1F **67**
Osbourne St. *Kirk A* —3D **58**
Osbournes Yd. *Wars* —3H **19**
Osier Dri. *Ann* —5E **58**
Osmaston Wlk. *Mans* —4H **41**
　(off Oak Tree La.)
Ossington Clo. *Med V* —6K **9**
Oundle Dri. *Mans* —7H **29**
Outgang La. *Mans W* —4D **30**
　(in two parts)
Outgang La. *Ple* —2F **29**
Out La. *Heath* —2A **26**
Outram Ct. *Rip* —2E **62**
Outram St. *Rip* —2E **62**
Outram St. *Sut A* —7D **38**
Outseats Dri. *Alf* —7H **45**
Oval, The. *Sut A* —5B **38**
Ovencroft La. *Bsvr* —3A **6**
Overdale Av. *Sut A* —2C **38**
Over La. *Belp* —4H **67**
Over La. *Haz* —6A **66**
Overstone Clo. *Belp* —3H **67**
Overstone Clo. *Sut A* —4D **38**
Owlcoates Vw. *Bsvr* —6J **5**
Ox Clo. *Clay C* —4D **24**
Oxclose La. *Mans* —5H **29**
Oxclose La. *Mans W* —5A **30**
Oxcroft La. *Bsvr* —4J **5**
Oxford Clo. *Rain* —2C **52**
Oxford St. *B'will* —1A **46**
Oxford St. *Doe L* —6H **15**
Oxford St. *Kirk A* —6F **49**
Oxford St. *Mans* —7C **30**
Oxford St. *Rip* —3D **62**
Oxford St. *Sut A* —7B **38**
Oxpasture La. *Lang* —1F **7**
Oxton Clo. *Mans* —2J **39**

Packhorse Row. *Nort* —2J **9**
Packman's Rd. *For T* —4H **31**
Packman's Rd. *Wars* —1G **31**
Paddock Clo. *Edwin* —4J **21**
Paddocks Clo. *Wing* —4A **12**
Paddocks Clo. *Pinx* —5E **46**
Paddocks, The. *Mans W* —3E **30**
Paddocks, The. *Pils* —6J **25**
Paddock, The. *B'will* —1B **46**
Paddock, The. *Bsvr* —5K **5**
Paddock, The. *Kirk A* —6D **48**
Paddock, The. *Stan H* —4A **38**
Padley Clo. *Rip* —1C **62**
Padley Hill. *Mans* —3A **40**
Padley Way. *N Wing* —3F **25**
Padley Wood La. *Pils* —1G **35**
Padley Wood Rd. *Pils* —6J **25**
Paling Cres. *Sut A* —6C **38**
Palmer Cotts. *Gras* —4E **12**

Palmer Dri. *Swanw* —4E **54**
Palmerston St. *Jack* —7E **56**
Palmerston St. *Und* —2H **65**
Palterton La. *Sut S* —1C **14**
　(in two parts)
Pankhurst Pl. *Clay C* —5C **24**
Park Av. *Blid* —5D **52**
Park Av. *Glap* —6A **16**
Park Av. *Kirk A* —3F **59**
Park Av. *Mans* —1C **40**
Park Av. *Mans W* —3B **30**
Park Av. *Rip* —3F **63**
Park Av. *Shire* —3J **17**
Park Clo. *Ches* —1A **12**
Park Clo. *Klbrn* —7K **67**
Park Clo. *Pinx* —1E **56**
Park Clo. *Shirl* —1E **44**
Park Ct. *Mans* —1C **40**
Park Dri. *Swanw* —5F **55**
Parker's La. *Mans W* —5C **30**
Parkers Row. *Cuc* —3G **9**
Pk. Hall Gdns. *Mans W* —3C **30**
Pk. Hall Rd. *Mans W* —2C **30**
Parkhouse Clo. *Clay C* —4B **24**
Parkhouse Dri. *S Norm* —5A **46**
Parkhouse Rd. *Lwr P* —3G **25**
Parkin St. *Alf* —6H **45**
Parkland Clo. *Mans* —7E **40**
Parkland Dri. *Wing* —5A **12**
Park La. *Heag* —4A **62**
Park La. *Lang* —1C **8**
Park La. *Mans* —4B **40**
Park La. *Pinx* —7E **46**
Park La. *Sels* —3J **57**
Park La. *Shirl* —1E **44**
Park La. *S Wing & Pent* —3A **54**
Park La. *W'low* —5H **23**
Park M. *Mans W* —4C **30**
Park M. *Ridd* —5K **55**
Pk. Mill Dri. *Westh* —3J **45**
Park Rd. *Belp* —5E **66**
Park Rd. *Hlmwd* —6K **13**
Park Rd. *Mans W* —5B **30**
Park Rd. *Old T* —1C **24**
Park Rd. *Rip* —3E **62**
Park Rd. *Shire* —2J **17**
Park Row. *Clay C* —4D **24**
Parks Av. *S Wing* —7A **44**
Park Side. *Belp* —4E **66**
Park Side. *Som* —4K **55**
Parkside. *Huth* —6J **37**
Park Side. *Som* —4K **55**
Parkside Clo. *Iron* —7B **56**
Parkside Dri. *Iron* —7B **56**
Parkside Rd. *Edwin* —5H **21**
Parkstone Av. *Rain* —7B **42**
Park St. *Alf* —7F **45**
Park St. *Kirk A* —5D **48**
Park St. *Mans W* —5B **30**
Park St. *Rip* —3E **62**
Park St. *Sut A* —6D **38**
Park, The. *Iron* —1A **64**
Park, The. *Mans* —1C **40**
Park, The. *Tev* —2J **37**
Park Vw. *Lang* —3K **7**
Park Vw. *N Wing* —1F **25**
Park Vw. *Ple* —3E **28**
Park Vw. *Ridd* —6K **55**
Pk. View Cvn. Pk. *Rain* —7B **42**
Park Vw. Way. *Mans* —4B **40**
Park Wlk. *Klbrn* —7K **67**
Parkway. *For T* —5K **31**
Parkway. *Sut A* —6K **37**
Parliament Rd. *Mans* —1J **39**
Parliament St. *Sut A* —7D **38**
Parrish Av. *Med V* —6B **10**
Parrish Vs. *Rip* —2C **62**
Parsons Av. *Sels* —4H **57**
Parsons Pl. *Boug* —1K **23**

Parsons Vw. *Ridd* —6K **55**
Parwich Rd. *N Wing* —2F **25**
Paschall Rd. *Kirk A* —2F **59**
Pasteur Av. *Rip* —2C **62**
Pasture Clo. *Stan H* —4A **38**
Pasture La. *Hilc* —1E **46**
Pasture La. *Ston* —6G **35**
Pastures, The. *Mans W* —3D **30**
Patchills Cen., The. *Mans* —2F **41**
Patchills, The. *Mans* —2F **41**
Patchwork Row. *Shire* —3K **17**
Patterson Pl. *Mans* —2D **40**
Paul Av. *Mans* —3G **41**
Paulson's Dri. *Mans* —2B **40**
Pavilion Clo. *Kirk A* —4F **49**
Pavilion Clo. *Wars* —3H **19**
Pavilion Gdns. *N Htn* —7D **16**
Pavilion Workshops. *Hlmwd*
　—6K **13**
Peach Av. *Sels* —5H **57**
Peach Av. *S Norm* —3D **46**
Peacock Ct. *Mans* —7G **41**
Peacock St. *Mans* —3B **40**
Peafield La. *Mans W* —4E **30**
Peak Av. *Ridd* —5H **55**
Peakdale Clo. *Rip* —6D **62**
Peak, The. *Shire* —4J **17**
Peak Vw. *S Norm* —5B **46**
Pearl Av. *Kirk A* —7F **49**
Pearl Clo. *Rain* —1E **52**
Pear Tree Av. *Rip* —4D **62**
Pear Tree Dri. *Shire* —1H **17**
Peartree La. *Sut A* —7K **27**
Pear Tree Rd. *Pils* —7J **25**
Pease Clo. *Alf* —7H **45**
Pease Hill. *Alf* —7H **45**
Peasehill. *Rip* —4F **63**
Peasehill Rd. *Rip* —4E **62**
Pecks Hill. *Mans* —2E **40**
Peel Cres. *Mans* —6H **29**
Peel Rd. *Mans* —1J **39**
Peel St. *S Norm* —4D **46**
Peel St. *Sut A* —6E **38**
Pelham Rd. *Kirk A* —5E **48**
Pelham St. *Mans* —2C **40**
Pelham St. *Sut A* —7B **38**
Pelham Way. *For T* —5K **31**
Pemberley Chase. *Sut A* —2B **48**
Pemberton, The. *S Norm* —6D **46**
Pembleton Dri. *Mans* —7H **29**
Pendean Clo. *B'will* —1A **46**
Pendine Clo. *S Norm* —4E **46**
Penfold Way. *Mort* —4H **35**
Penistone Gdns. *Dane* —6D **24**
Penncroft Dri. *Dane* —5D **24**
Penncroft La. *Dane* —6D **24**
Penniment La. *Mans* —5F **29**
Pennine Av. *Ridd* —4H **55**
Pennine Clo. *Huth* —5G **37**
Pennine Clo. *Mans W* —4C **30**
Pennine Clo. *Nwtn* —6C **36**
Pennine Clo. *Tib* —3B **36**
Pennine Dri. *Kirk A* —6B **48**
Pennine Dri. *Sels* —4H **57**
Pennine Dri. *S Norm* —5B **46**
Pennine Vw. *Pal* —2J **15**
Pennine Wlk. *Gras* —4F **13**
　(off Pennine Way)
Pennine Way. *Gras* —4F **13**
Penn St. *Belp* —3E **66**
Penn St. *Sut A* —6D **38**
Pennytown Ct. *Som* —2J **55**
Penrith Pl. *Mans* —1H **39**
Penrose Cres. *Ark T* —3A **4**
Penryn Clo. *S Norm* —4E **46**
Pentland Clo. *Mans* —4H **39**
Pentrich Rd. *Rip* —2D **62**
Pentrich Rd. *Swanw* —4D **54**

Pentrich Wlk. *Mans* —4H **41**
Penzance Pl. *Mans* —2H **41**
Pepper St. *Sut A* —7E **38**
Percival Clo. *Sut A* —6C **38**
Percival Cres. *Sut A* —6C **38**
Percy St. *Sut A* —7B **38**
Perlethorpe Av. *Mans* —7K **29**
Perlethorpe Av. *Med V* —7K **9**
Perlethorpe Clo. *Edwin* —4H **21**
Perth Clo. *Mans W* —3C **30**
Peters Av. *Clay C* —4B **24**
Petersfield Clo. *Mans* —2G **39**
Petersmiths Clo. *New O* —1G **23**
Petersmiths Cres. *New O* —1G **23**
Petersmiths Dri. *New O* —2G **23**
Peterway. *Som* —3K **55**
Petticoat La. *Bsvr* —3C **6**
Pettifor Ter. *Westh* —1J **45**
Peveril Clo. *Ridd* —5J **55**
Peveril Ct. *Rip* —3C **62**
Peveril Dri. *Ridd* —5J **55**
Peveril Dri. *Sut A* —7A **38**
(in two parts)
Peveril Rd. *Bsvr* —3H **5**
Peveril Rd. *Tib* —3B **36**
Pewit Clo. *Hlmwd* —7K **13**
Pewit La. *Tib* —2J **35**
Pheasant Hill. *Mans* —7A **30**
Philip Av. *Kirk A* —1F **59**
Philip Clo. *Rain* —2E **52**
Philipway. *Som* —3K **55**
Philpotts Wlk. *Mans* —2H **39**
Phipp St. *Lang* —6K **7**
Phipp Ter. *Neth L* —4A **8**
Phoenix St. *Sut A* —5F **39**
Pickard St. *Mans* —2E **40**
Pilgrims Clo. *R'hd* —1F **61**
Pilsley Clo. *Belp* —1G **67**
Pilsley Rd. *Dane* —5E **24**
Pilsley Rd. *Mort* —4H **35**
Pinchom's Hill Rd. *Belp* —4F **67**
Pine Av. *New O* —3H **23**
Pine Clo. *Kirk A* —4D **48**
Pine Clo. *Mans W* —3C **30**
Pine Clo. *Rain* —1C **52**
Pine Clo. *Rip* —3D **62**
Pine Clo. *Shire* —1H **17**
Pine Vw. *Dane* —6E **24**
Pineview Clo. *Mans* —7F **41**
Pinewood Av. *Cod* —5H **63**
Pinewood Av. *Edwin* —7A **22**
Pinewood Clo. *Kirk A* —4G **49**
Pinewood Dri. *Mans* —7F **41**
Pinewood Rd. *Belp* —5H **67**
Pinfold Gdns. *For T* —6F **31**
Pinfold, The. *Belp* —2G **67**
Pinfold, The. *Glap* —6K **15**
Pingle Cres. *Belp* —2D **66**
Pingle La. *Belp* —2D **66**
Pinxton Ct. *Mans* —4H **41**
Pinxton Grn. *Pinx* —7G **47**
Pinxton La. *Pinx* —6K **47**
Pinxton La. *S Norm* —5E **46**
Pinxton La. *Sut A* —4H **47**
Pinxton Rd. *Kirk A* —7B **48**
Piper Av. *Clay C* —4E **24**
Pit Hill. *Ple* —3E **28**
Pit La. *Rip* —3E **62**
Pit La. *Shirl* —1D **44**
Pit La. *Wain* —5G **63**
Pitt Hill. *Lang* —4K **7**
Pitt La. *Dane* —5E **24**
Plains La. *Black* —3A **66**
Plainspot Rd. *Brins* —3G **65**
Platt St. *Pinx* —1E **56**
Pleasant Av. *Bsvr* —7K **5**
Pleasley Rd. *Sut A* —3E **38**
Pleasley Springs. *Ple* —3F **29**

Pleasley Va. *Ple* —2H **29**
Plough Yd. *Wars* —2H **19**
Plumptre Rd. *Lan M* —7D **64**
Plum Tree Av. *For T* —7H **31**
Plymouth Av. *Pinx* —1G **57**
Pollard Dri. *Mans* —2C **40**
Polyfields La. *Bsvr* —6K **5**
Pond La. *New T* —7D **12**
Pond St. *Kirk A* —5F **49**
Pool Clo. *Pinx* —1F **57**
Poolsbrook Rd. *Duck* —1C **4**
Poplar Av. *Kirk A* —4G **49**
Poplar Av. *Rip* —4D **62**
Poplar Dri. *Glap* —7K **15**
Poplar Dri. *New T* —6C **12**
Poplar Dri. *Ple* —4F **29**
Poplar Gro. *Chur W* —1G **19**
Poplar Gro. *For T* —7H **31**
Poplar Rd. *S Norm* —3D **46**
Poplars, The. *Sut A* —6E **38**
Poplar St. *Mans W* —5C **30**
Poplar St. *New O* —3H **23**
Poplar Ter. *Sels* —5G **57**
Poppy Clo. *Shire* —4H **17**
Porterhouse Rd. *Rip* —3E **62**
Portland Av. *Bsvr* —5K **5**
Portland Av. *Kirk A* —2E **58**
Portland Clo. *Sut A* —7D **38**
Portland Ct. M. *Mans W* —4C **30**
Portland Cres. *Bsvr* —5K **5**
Portland Cres. *Mans W* —5D **30**
Portland Cres. *Med V* —5A **10**
Portland Ind. Est. *Kirk A* —3E **48**
Portland Pk. *Kirk A* —7D **48**
Portland Pl. *Mans* —3A **40**
Portland Rd. *Lang* —4A **8**
Portland Rd. *Sels* —3J **57**
Portland Rd. *Shire* —3K **17**
Portland Row. *Edwin* —7A **22**
Portland Sq. *Sut A* —7D **38**
Portland St. *Kirk A* —5E **48**
Portland St. *Mans* —3B **40**
Portland St. *Mans W* —5C **30**
Portland St. *N Htn* —1D **28**
Portland St. *Sut A* —7D **38**
Portland St. *Wars* —3H **19**
Portland Ter. *Lang* —4A **8**
Postmans La. *Temp N* —3J **13**
Post Office Rd. *Kirk A* —5F **49**
Potter La. *W'low* —7H **23**
Potter St. *Sut A* —5E **38**
Pottery Clo. *Belp* —2G **67**
Poulter St. *Lang* —5K **7**
Poulterwell La. *Pal* —2K **15**
Poxon Ct. *Mans* —3H **41**
Pratt Clo. *Mans* —7H **29**
Precinct Rd. *Kirk A* —5F **49**
Prest Av. *Med V* —6A **10**
Preston Av. *Alf* —6H **45**
Preston Rd. *Rain* —2C **52**
Prestwold Av. *For T* —1H **41**
Priestley St. *Stre* —5C **34**
Priestsic Rd. *Sut A* —6C **38**
Primary Clo. *Belp* —3E **66**
Primrose Av. *For T* —1G **41**
Primrose Av. *S Norm* —3D **46**
Primrose Clo. *Kirk A* —3D **48**
Primrose Clo. *S Norm* —3D **46**
Primrose Ct. *Sut A* —1F **49**
Primrose Hill. *B'wll* —1A **46**
Primrose Way. *Lang J* —1K **17**
Primrose Way. *Sut A* —1A **48**
Primula Clo. *Shire* —4H **17**
Princess Av. *For T* —1G **41**
Princess Av. *S Norm* —3D **46**
Princess Av. *Wars* —3J **19**
Princess Pl. *Clay C* —6C **24**
Princess St. *Kirk A* —7B **48**
Princes St. *Mans* —4A **40**

Prior Clo. *Sut A* —5F **39**
Priory Av. *Kirk A* —3F **59**
Priory Av. *R'hd* —2H **61**
Priory Ct. *Mans W* —5B **30**
Priory Gdns. *Swanw* —3G **55**
Priory Gro. *Kirk A* —5H **49**
Priory Rd. *Alf* —6H **45**
Priory Rd. *Blid* —5D **66**
Priory Rd. *Mans W* —5B **30**
Priory Rd. *Nwtn* —6C **36**
Priory Sq. *Mans W* —5B **30**
Privet Av. *Kirk A* —4E **48**
Promenade, The. *Kirk A* —4H **49**
Prospect Av. *S Norm* —5B **46**
Prospect Clo. *Kirk A* —3F **49**
Prospect Ct. *Huth* —1G **47**
Prospect Dri. *Belp* —5D **66**
Prospect Dri. *Shire* —4J **17**
Prospect Pl. *Sut A* —7C **38**
Prospect Rd. *Denb* —6K **67**
Prospect Rd. *Pils* —7J **25**
Prospect St. *Alf* —6H **45**
Prospect St. *Mans* —3D **40**
Prospect Units. *Kirk A* —3G **49**
Providence Rd. *Jack* —7C **56**
Providence St. *Rip* —4E **62**
Pump Hollow La. *Mans* —2G **41**
Pump Hollow Rd. *For T* —1G **41**
Purbeck Clo. *Mans W* —2C **30**
Pye Av. *Mans* —2H **39**
Pye Bri. Ind. Est. *Pye B* —5A **56**
Pye Hill Rd. *Jack* —7C **56**
Pytchley Clo. *Belp* —3H **67**
Python Hill Rd. *Rain* —1D **52**

Quadrangle, The. *Blid* —5C **52**
Quadrangle, The. *News V* —5H **59**
Quaker La. *Mans* —3B **40**
Quaker Way. *Mans* —2B **40**
Quarries Way. *Kirk A* —6C **48**
Quarry Clo. *R'hd* —3H **61**
Quarrydale Av. *Sut A* —4C **38**
Quarrydale Dri. *Sut A* —4C **38**
Quarrydale Rd. *Sut A* —5D **38**
Quarry Dri. *Kirk A* —7F **49**
Quarry La. *L'by* —7B **60**
Quarry La. *Mans* —4A **40**
Quarry La. *Ston* —5F **35**
Quarry Rd. *Belp* —5D **66**
Quarry Rd. *Bsvr* —3J **5**
Quarry Rd. *R'hd* —3G **61**
Quarry Rd. *Som* —4J **55**
Quarry Yd. *Sut A* —7C **38**
Queen's Ct. *For T* —5K **31**
Queen's Dri. *Belp* —2C **66**
Queens Dri. *Brins* —5G **65**
Queen St. *Belp* —4E **66**
Queen St. *Clay C* —6C **24**
Queen St. *Iron* —7A **56**
Queen St. *Kirk A* —6E **48**
Queen St. *Mans* —2B **40**
Queen St. *Pils* —7J **25**
Queen St. *Pinx* —7E **46**
Queen St. *Som* —3K **55**
Queen St. *S Norm* —5B **46**
Queen St. *Sut A* —5D **38**
Queen St. *Wain* —5F **63**
Queen St. *Wars* —2G **19**
Queens Vw. Dri. *Wain* —5G **63**
Queens Wlk. *Hlmwd* —6A **14**
Queens Wlk. *Mans* —2B **40**
(off Queen St.)
Queen's Wlk. *Neth L* —5A **8**
Queen's Wlk. *New T* —6D **12**
(off Mather's Way)
Queensway. *For T* —7G **31**
Queensway. *Hlmwd* —6A **14**

Queensway. *Kirk A* —1F **59**
Queen's Way. *New T* —6D **12**
Queensway. *Pils* —7J **25**
Queensway. *Ston* —6F **35**
Queen Victoria Rd. *New T*
—6C **12**
Quenby La. *Rip* —3E **62**
Quines Hill Rd. *For T* —6H **31**

Racecourse Rd. *Mans* —4E **40**
Radbourne St. *Mans W* —4E **30**
Radford St. *Mans* —3B **40**
Radmanthwaite La. *Ple* —3F **29**
Radmanthwaite Rd. *Ple* —5H **29**
Radnor Pl. *Ple* —4G **29**
Raglan St. *Alf* —6G **45**
Railway Cotts. *Hlmwd* —6B **14**
Railway Row. *Iron* —7B **56**
Railway Ter. *Has* —1B **12**
Rainworth Water Rd. *Rain*
—1B **52**
Raleigh Rd. *Mans* —1H **39**
Ralph Dri. *Som* —4J **55**
Ramsden Cft. *Rain* —1C **52**
Ramsey Clo. *For T* —6G **31**
Randol Clo. *Mans* —5H **39**
Rannoch Dri. *Mans* —4H **39**
Ransom La. *Bsvr* —5A **6**
Ransom Rd. *Rain* —6K **41**
Ransom Wood Bus. Pk. *Rain*
—5K **41**
Ratcher Way. *For T* —1H **41**
Ratcliffe Ga. *Mans* —3C **40**
Raven Av. *Tib* —4B **36**
Raven Clo. *Ridd* —5J **55**
Raven Oak Clo. *Belp* —5E **66**
Ravensdale Av. *Mans* —1D **40**
Ravensdale Rd. *Mans* —1D **40**
Rawson Grn. *Klbrn* —6K **67**
Rawson St. *Sels* —5J **57**
Raylawn St. *Mans* —3G **41**
Raymond Clo. *Kirk A* —3B **48**
Recreation Clo. *B'wll* —1A **46**
Recreation Dri. *Shire* —5K **17**
Recreation Rd. *Ann* —3G **59**
Recreation Rd. *N Htn* —1D **28**
Recreation Rd. *Shire* —2H **17**
Recreation Rd. *Up L* —7J **7**
Recreation St. *Mans* —2C **40**
Recreation St. *Sels* —5K **57**
Recreation Vw. *Lang J* —1J **17**
Rectory Clo. *Duck* —3C **4**
Rectory Rd. *Chur W* —1J **19**
Rectory Rd. *Duck* —1C **4**
Redacre Clo. *Bsvr* —5A **6**
Red Barn Clo. *Nwtn* —6D **36**
Redbarn Clo. *Nwtn* —6D **36**
Redbarn Way. *Sut A* —1A **48**
Redcar Clo. *Mans* —4E **40**
Redcliffe Rd. *Mans* —3D **40**
Redcliffe St. *Sut A* —5D **38**
Redcroft Clo. *Edwin* —5H **21**
Redfern Av. *Rip* —2E **62**
Redfern St. *Old T* —1C **24**
Redgate Clo. *Mans* —1J **39**
Redgate St. *Mans* —1J **39**
Redgate St. *Pinx* —1F **57**
Redhill Ct. *Belp* —5F **67**
Red La. *Brins* —4G **65**
Red La. *S Norm* —7A **46**
Redmoor Clo. *Cod* —3H **63**
Redruth Dri. *Mans* —7H **41**
Reform St. *Kirk A* —3D **58**
Reform St. *Sut A* —7D **38**
Regent Ct. *Iron* —7B **56**
Regent St. *Kirk A* —6D **48**
Regent St. *Mans* —2B **40**

Regent St.—Scott Dri.

Regent St. *Sut A* —7B **38**
Regina Cres. *R'hd* —2F **61**
Reindeer St. *Mans* —3D **40**
Renfrew Ct. *Mans* —4J **39**
Repton Ct. *Mans W* —4E **30**
Retford Rd. *Boug* —1K **23**
Revill Ct. *Kirk A* —3C **48**
Reynolds Av. *Rip* —3F **63**
Rhodes Wlk. *Mans* —3J **39**
Riber Av. *Som* —3K **55**
Riber Clo. *Kirk A* —2E **58**
Riber Cres. *Old T* —3B **24**
Richardsons La. *Ridd* —6J **55**
Richmond Dri. *Mans W* —6D **30**
Richmond Rd. *Kirk A* —5H **49**
Richmond St. *Mans* —4F **41**
Ricket La. *Blid* —6E **50**
Ridd Way. *Wing* —4A **12**
Ridge Clo. *Sut A* —6B **38**
Ridgedale Rd. *Bsvr* —5J **5**
Ridgedale Vw. *Rip* —2D **62**
Ridge, The. *B'wll* —2A **46**
Ridgeway. *Lang J* —2K **17**
Ridgeway Av. *Bsvr* —4A **6**
Ridgeway La. *Wars* —4H **19**
Ridgeway Ter. *Wars* —3H **19**
Ridgewood Gro. *R'hd* —1G **61**
Ridings, The. *For T* —7F **31**
Rigg La. *Blid* —4K **61**
Riley Av. *Sut A* —6A **38**
Riley Clo. *Sut A* —6A **38**
Riley La. *Rip* —4A **54**
Ringwood Av. *Mans* —5C **40**
Ripley Rd. *Heag* —3A **62**
Riverside Clo. *Cuc* —3G **9**
Riverside Way. *Mans W* —3D **30**
River Vw. *Pye B* —5C **56**
River Vw. *Wars* —2H **19**
Robert Av. *Mans* —4K **39**
Roberts Av. *Huth* —7H **37**
Roberts Dri. *Alf* —6H **45**
Robertson's Av. *Duck* —2C **4**
Robey Clo. *For T* —7H **31**
Robin Down Clo. *Mans* —7D **40**
Robin Down Ct. *Mans* —7C **40**
Robin Down La. *Mans* —7C **40**
Robin Gro. *R'hd* —2G **61**
Robin Hood Av. *Edwin* —7A **22**
Robin Hood Av. *Wars* —5H **19**
Robin Hood Rd. *Blid* —5D **52**
Robin Hood Rd. *Kirk A* —3F **59**
Robin Hood Ter. *R'hd* —7H **51**
Rob La. *Farn* —7J **53**
Rocester Way. *N Wing* —2F **25**
Rochdale Ct. *Mans* —4G **41**
Rochester Rd. *Rain* —2C **52**
Rock Ct. *Mans* —2C **40**
Rock Cres. *Clay C* —3A **24**
Rock Hill. *Mans* —3D **40**
Rocklands, The. *Shire* —3J **17**
Rock La. *Sut S* —1A **14**
Rockley Way. *Shire* —3J **17**
Rock St. *Mans* —3D **40**
Rock Ter. *Blid* —6A **52**
Rock, The. *Wars V* —2E **18**
Rock Valley. *Mans* —2C **40**
(in two parts)
Roderick Av. *Kirk A* —2F **59**
Rodger's La. *Alf* —6G **45**
Roebuck Dri. *Mans* —6B **40**
Roewood Clo. *Kirk A* —3D **48**
Roger Clo. *Kirk A* —2G **59**
Roger Clo. *Sut A* —4D **38**
Rogers Yd. *Iron* —6A **56**
Rolaine Clo. *Mans W* —4C **30**
Roman Bank. *Mans W* —5D **30**
Romsey Pl. *Mans* —3G **39**
Rona Clo. *Mans* —4J **39**

Rookery La. *Sut A* —2J **47**
Rookery, The. *Mans* —2A **40**
Rookwood Clo. *Blid* —5C **52**
Rooley Av. *Sut A* —6A **38**
Rooley Dri. *Sut A* —6A **38**
Rooley La. *Sut A* —5K **37**
Roosevelt Rd. *Sut A* —5F **39**
Rooth St. *Mans* —3B **40**
Rope Wlk. *Rip* —4E **62**
Ropeway, The. *Kirk A* —5C **48**
Roseberry St. *Kirk A* —6F **49**
Rosebery Hill. *Mans* —3C **40**
Rose Cottage Dri. *Huth* —7H **37**
Rose Ct. *Clay C* —4A **24**
Rosedale Av. *R'hd* —7F **51**
Rosedale Way. *For T* —6F **31**
Rosehill Ct. *Bsvr* —5J **5**
Roseland La. *Shire* —3F **17**
(in two parts)
Rose La. *Mans W* —4C **30**
Rosemary Av. *Mans* —1A **40**
Rosemary Cen. *Mans* —2A **40**
Rosemary St. *Mans* —1A **40**
Rosemont Clo. *Sut A* —3D **38**
Rosewood Clo. *S Norm* —3D **46**
Rosewood Ct. *Kirk A* —4G **49**
Rosewood Dri. *Kirk A* —4G **49**
Rosier Cres. *Swanw* —3G **55**
Rosings Ct. *Sut A* —1C **48**
Rosling Way. *Ark T* —4A **4**
Roston Clo. *Mans* —4H **41**
Rother Cft. *New T* —7D **12**
Rotherham Rd. *Bsvr* —6B **6**
Rotherham Rd. *Ston H* —3B **16**
Rother St. *Pils* —6J **25**
Rothwell La. *Belp* —4F **67**
Roundhill Clo. *Sut A* —1G **49**
Rouse St. *Pils* —7K **25**
Rowan Av. *R'hd* —2G **61**
Rowan Av. *Rip* —4D **62**
Rowan Clo. *For T* —7D **30**
Rowan Clo. *Kirk A* —5C **48**
Rowan Cft. *Huth* —5H **37**
Rowan Dri. *Kirk A* —4D **48**
Rowan Dri. *Sels* —5F **57**
Rowan Dri. *Shire* —2H **17**
Rowan Dri. *Shirl* —1D **44**
Rowland Ct. *Alf* —6G **45**
Rowland St. *Alf* —6G **45**
Rowthorne Av. *Swanw* —3G **55**
Rowthorne La. *Glap* —2J **27**
Royal Ga. *Belp* —4H **67**
Royal Oak Ct. *Edwin* —5K **21**
Royal Oak Dri. *Sels* —4K **57**
Royston Dri. *Belp* —2H **67**
Ruby Gdns. *Kirk A* —6H **49**
Ruby Gro. *Rain* —1E **52**
Ruddington Ct. *Mans* —7G **41**
Ruddington Rd. *Mans* —7G **41**
Rufford Av. *Mans* —2C **40**
Rufford Av. *Med V* —5A **10**
Rufford Av. *New O* —3G **23**
Rufford Av. *Rain* —1D **52**
Rufford Clo. *Sut A* —4D **38**
Rufford Dri. *Mans W* —5E **30**
Rufford La. *W'low* —7D **22**
Rufford Mill Cotts. *Ruff* —7D **22**
Rufford Rd. *Edwin* —6K **21**
Rugby Av. *Alf* —7J **45**
Rugby Rd. *Rain* —2C **52**
Rupert St. *Lwr P* —4H **25**
Rushes, The. *Mans W* —3D **30**
Rushley Vw. *Sut A* —1A **48**
Rushpool Av. *Mans W* —4D **30**
Ruskin Rd. *Mans* —6H **29**
Rusling Gdns. *Sels* —5F **57**
Russell Gdns. *Old T* —2B **24**
Russell St. *Sut A* —6D **38**

Rutherford Av. *Mans* —5E **40**
Rutland. *Kirk A* —5H **49**
Rutland Av. *Bsvr* —5J **5**
Rutland Av. *Wain* —5G **63**
Rutland Clo. *Wars* —3G **19**
Rutland Rd. *W'wd* —7D **56**
Rutland St. *Mans* —4B **40**
Rydal Way. *Clay C* —5B **24**
Rye Ct. *Dane* —5D **24**
Rye Cres. *Dane* —5D **24**
Ryedale Av. *Mans* —4G **41**
Ryegrass Clo. *Belp* —4H **67**
Rykneld Ct. *Clay C* —5C **24**
Rykneld Ri. *Wing* —4A **12**
Rylah Hill. *Pal* —2H **15**

Sacheverall Av. *Pinx* —7F **47**
Sadlers Clo. *For T* —7F **31**
Sadler St. *Mans* —1K **39**
St Albans Clo. *Hlmwd* —7A **14**
St Andrews Clo. *Swanw* —4G **55**
St Andrews Cres. *Sut A* —3D **38**
St Andrew's Dri. *Swanw* —4F **55**
St Andrews St. *Kirk A* —4F **49**
St Andrews St. *Sut A* —3C **38**
St Andrew St. *Mans* —4C **40**
St Catherine St. *Mans* —4C **40**
St Chads Clo. *Mans* —6C **40**
St Edmund's Av. *Mans W*
　　　　　　　—5C **30**
St Edwin's Dri. *Edwin* —5J **21**
St George's Pl. *Belp* —3D **66**
St Helens Av. *Pinx* —6E **46**
St Helen's Dri. *Sels* —4F **57**
St James Clo. *Belp* —3H **67**
St James Dri. *Brins* —4F **65**
St John's Av. *Kirk A* —6F **49**
St John's Clo. *Brins* —3F **65**
St John's Dri. *Klbrn* —7K **67**
St John's Pl. *Mans* —2A **40**
St John's Rd. *Belp* —3E **66**
St John St. *Mans* —2A **40**
St Judes Way. *Rain* —1C **52**
St Lawrence Av. *Bsvr* —5A **6**
St Lawrence Rd. *N Wing* —1F **25**
St Leonards Pl. *Shirl* —1E **44**
St Leonards Way. *For T* —1H **41**
St Margaret St. *Mans* —4C **40**
St Mary's Ct. *Sut A* —5B **38**
St Mary's Dri. *Edwin* —5J **21**
St Mary's Rd. *Sut A* —6B **38**
St Mary's Wlk. *Jack* —1D **64**
St Mellion Way. *Kirk A* —4C **48**
St Michaels Clo. *Sut A* —6E **38**
St Michaels Dri. *S Norm* —3C **46**
St Michael's St. *Sut A* —6E **38**
St Pauls Av. *Has* —1D **52**
St Peters Av. *Chur W* —1H **19**
St Peter's Clo. *Belp* —3D **66**
St Peters Clo. *Duck* —2C **4**
St Peters Clo. *New O* —3F **23**
St Peter's Cft. *Belp* —3E **66**
St Peters Dri. *Rain* —1C **52**
St Peter's Way. *Mans* —2B **40**
St Thomas Av. *Kirk A* —6F **49**
St Thomas Clo. *Tib* —4A **36**
St Wilfrids Dri. *Kirk A* —5B **48**
Salcey Clo. *Swanw* —4F **55**
Salcombe Rd. *Alf* —5H **45**
Sales Av. *New T* —7C **12**
Salisbury Clo. *Mans W* —4D **30**
Salisbury Dri. *Belp* —2H **67**
Salisbury Rd. *Mans* —1J **39**
Salmon La. *Kirk A* —4A **58**
Sampson's La. *Ple* —5F **29**
Sampson St. *Kirk A* —3E **58**
Sampsons Yd. *Huth* —6H **37**

Samuel Brunts Way. *Mans*
　　　　　　　—1C **40**
Samuel Clo. *Mans* —1K **39**
Samuel Ct. *Rip* —4D **62**
Sandalwood Clo. *Mans* —5H **41**
Sandalwood Dri. *Kirk A* —4G **49**
Sandbed La. *Belp* —6G **67**
Sanders Av. *Mans* —1E **40**
Sanderson Row. *Belp* —3D **66**
Sandfield Av. *R'hd* —3H **61**
Sandfield Clo. *Mans* —5H **41**
Sandfield Rd. *Kirk A* —3D **58**
Sandgate Av. *Mans W* —4D **30**
Sandgate Rd. *Mans W* —4D **30**
Sandham La. *Rip* —3C **62**
Sandhill Rd. *Und* —1K **65**
Sandhills Rd. *Bsvr* —5K **5**
Sandhurst Av. *Mans* —5C **40**
Sandown Rd. *Mans* —5H **41**
Sandown Rd. *Sut A* —6F **39**
Sandringham Ct. *Mans W*
　　　　　　　—2B **30**
Sandringham Dri. *Mans W*
　　　　　　　—2B **30**
Sandringham Rd. *Mans W*
　　　　　　　—3E **30**
Sandwich Clo. *Kirk A* —3C **48**
Sandwood Clo. *Nwtn* —6C **36**
Sandycliffe Clo. *For T* —7F **31**
Sandy La. *Cuc* —5H **9**
Sandy La. *Edwin* —7K **21**
Sandy La. *Mans* —2D **40**
Sandy La. *R'hd* —6H **51**
Sandy La. *Wars* —2H **19**
(in two parts)
Santon Clo. *For T* —6G **31**
Santon Rd. *For T* —6G **31**
Saphire Dri. *Kirk A* —6G **49**
Sapphire Clo. *Rain* —2E **52**
Sarah Clo. *Som* —4J **55**
Sartfield Rd. *For T* —6H **31**
Saundby Av. *Mans* —7H **29**
Saunders Gro. *Duck* —1C **4**
Saunders Yd. *Klbrn* —7K **67**
Savile Row. *New O* —3G **23**
Saville Rd. *Sut A* —3D **38**
Saville St. *Blid* —5C **52**
Saville Way. *Wars* —3G **19**
Sawley Dri. *Mans* —5H **41**
Saw Pit Ind. Est. *Tib* —3E **36**
Saw Pit La. *Tib* —4D **36**
Saxby Dri. *Mans* —5H **41**
Scarcliffe Ct. *Sut A* —6D **38**
Scarcliffe La. *Up L* —7F **7**
Scarcliffe St. *Mans* —3D **40**
Scarcliffe Ter. *Lang* —4A **8**
Scarrington Ct. *Mans* —7G **41**
Scarsdale Av. *Bsvr* —6G **5**
School Clo. *Heath* —6B **14**
School Clo. *Nwtn* —6D **36**
School Clo. *Shirl* —7D **34**
School Clo. *Ston* —5F **35**
School Clo. *Westh* —1J **45**
School Cft. *Ridd* —5K **55**
School Hill. *Ann* —3F **59**
School La. *Cuc* —3G **9**
School La. *Mans W* —5C **30**
School La. *Oll* —4F **23**
School La. *Rip* —3C **62**
School La. *S Norm* —6D **46**
School Rd. *Sels* —4J **57**
School Rd. *Und* —7J **57**
School St. *Kirk A* —5F **49**
Scotches, The. *Belp* —2D **66**
Scotswood Rd. *Mans W* —2B **30**
Scott Clo. *Gras* —4E **12**
Scott Cres. *Ston* —6F **35**
Scott Dri. *Belp* —2J **67**

Scott Dri. *Som* —3K **55**
Scott St. *Lang* —4A **8**
Scotts Way. *Kirk A* —2F **59**
Seaforth Sq. *Mans* —4H **39**
Seagrave Av. *Kirk A* —2F **59**
Seanor La. *Lwr P* —4G **25**
Searby Rd. *Sut A* —1G **49**
Searson Av. *Bsvr* —5J **5**
Searwood Av. *Kirk A* —3C **48**
Second Av. *Clip V* —5C **32**
Second Av. *Edwin* —5J **21**
Second Av. *For T* —7G **31**
Second Av. *Rain* —7B **42**
Sedgebrook St. *Mans W* —5E **30**
Sedgwick St. *Jack* —1D **64**
Selston Rd. *Jack* —7D **56**
Selwyn St. *Bsvr* —6A **6**
Selwyn St. *Mans* —4E **40**
Setts Way. *Wing* —3B **12**
Seventh Av. *Clip V* —5A **32**
Seventh Av. *For T* —1G **41**
Severn Cres. *N Wing* —3F **25**
Severn Sq. *Alf* —6G **45**
Shadlow Way. *Mans* —5H **41**
Shaftesbury Av. *Mans* —7H **29**
Shafton Clo. *Clay C* —4E **24**
Shafton Wlk. *Clay C* —4E **24**
Shakespeare Av. *Mans W*
—4B **30**
Shakespeare Av. *Stre* —5C **34**
Shakespeare Clo. *Old T* —2B **24**
Shakespeare Dri. *Alf* —6H **45**
Shakespeare St. *Gras* —4E **12**
Shakespeare St. *Hlmwd* —6K **13**
Sharrard Clo. *Und* —2J **65**
Sharratt Ct. *Mans* —7G **41**
Shawcroft Av. *Ridd* —6J **55**
Shaw La. *Milf* —7D **66**
Shaw St. *Hlmwd* —6K **13**
Shaw St. *Mans* —2E **40**
Shaw St. *Ridd* —5J **55**
Shaw's Yd. *Klbrn* —7K **67**
Sheepbridge La. *Mans* —4K **39**
Sheep La. *Shirl* —2C **44**
Sheepwalk La. *R'hd* —7F **51**
Sheepwash La. *Sut A* —6F **39**
Sheldon Rd. *Los* —7J **63**
Shelford Av. *Kirk A* —4B **48**
Shelford Hill. *Mans* —3J **39**
Shelley Av. *Mans W* —4B **30**
Shelley Gro. *Ston* —6G **35**
Shelley St. *Hlmwd* —6K **13**
Shelton Clo. *Mans* —7J **29**
Shelton Rd. *Mans* —7G **41**
Shepherd's La. *Sut A* —7G **27**
Shepherds Oak. *Sut A* —3D **38**
Shepherds Way. *Sut A* —7F **39**
Sherbourne Dri. *Belp* —2H **67**
Sheringham Dri. *Mans* —4C **40**
Sherview Av. *Mans* —2G **41**
Sherwood Av. *Blid* —5E **52**
Sherwood Av. *Edwin* —5J **21**
Sherwood Av. *Pinx* —7F **47**
Sherwood Av. *Shire* —3J **17**
Sherwood Clo. *Mans* —2E **40**
Sherwood Ct. *Mans W* —6B **30**
Sherwood Dri. *New O* —3G **23**
Sherwood Dri. *Shire* —4J **17**
Sherwood Grange. *Mans* —1F **41**
Sherwood Hall Gdns. *Mans*
—1F **41**
Sherwood Hall Rd. *Mans* —2E **40**
Sherwood Pl. *Clip V* —4D **32**
Sherwood Pl. *Kirk A* —2E **58**
Sherwood Ri. *Belp* —2E **58**
Sherwood Ri. *Mans W* —6A **30**
Sherwood Rd. *Rain* —1D **52**

Sherwood Rd. *Sut A* —1C **48**
Sherwood St. *Bsvr* —6H **5**
Sherwood St. *Huth* —6H **37**
Sherwood St. *Kirk A* —3E **58**
(Forest Rd.)
Sherwood St. *Kirk A* —5F **49**
(Low Moor Rd.)
Sherwood St. *Lea* —3J **55**
Sherwood St. *Mans* —3B **40**
Sherwood St. *Mans W* —5B **30**
Sherwood St. *Nwtn* —5D **36**
Sherwood St. *Stre* —4C **34**
Sherwood St. *Wars* —3H **19**
Sherwood Way. *Sels* —5K **57**
Shetland Clo. *For T* —7F **31**
Shetland Rd. *Tib* —4B **36**
Shirburn Av. *Mans* —1C **40**
Shirebrook Bus. Cen. *Shire*
—4A **18**
Shire La. *Sut S* —2B **14**
Shireoaks. *Belp* —2B **66**
Shireoaks Ct. *Mans* —7G **41**
Shires, The. *For T* —7F **31**
Shires, The. *Sut A* —1B **48**
Shirland Dri. *Mans* —5H **41**
Shirley Rd. *Rip* —3D **62**
Shirley Rd. *Swanw* —4F **55**
Short Lands. *Belp* —3E **66**
Short Row. *Belp* —3D **66**
Short St. *Belp* —3F **67**
Short St. *Sut A* —6E **38**
Short St. *Wars* —3H **19**
Shoulder of Mutton Hill. *Kirk A*
—2F **59**
Shropshire Av. *W'wd* —7E **56**
Shuttlewood Rd. *Bsvr* —1H **5**
Sibthorpe St. *Mans* —4A **40**
Siddalls Dri. *Sut A* —6K **37**
Sidings Rd. *Kirk A* —3G **49**
Sidings Way. *Westh* —1J **45**
Silken Holme. *S Norm* —6D **46**
Silk St. *Sut A* —7C **38**
Silver Birch Cres. *Westh* —2J **45**
Silverdale Av. *Mans W* —4B **30**
Silverhill Cotts. *Sut A* —1J **37**
Silverhill La. *Tev* —7G **27**
Silverwood Av. *R'hd* —2G **61**
Simon Clo. *Mans* —7H **29**
Simpson Rd. *Mans* —2H **39**
Singleton Av. *Mans* —1E **40**
Siskin Ct. *Mans* —5H **41**
Sitwell Dri. *Klbrn* —7K **67**
Sitwell Grange La. *Pils* —7K **25**
Sitwell Vs. *Mort* —4E **34**
Sixth Av. *Clip V* —5A **32**
Sixth Av. *Edwin* —6J **21**
Sixth Av. *For T* —1G **41**
Skegby Hall Dri. *Skeg* —3C **38**
Skegby Hall Gdns. *Skeg* —3C **38**
Skegby La. *Mans* —3G **39**
Skegby Mt. *Mans* —4J **39**
Skegby Rd. *Huth* —6J **37**
Skegby Rd. *Kirk A* —2C **58**
Skegby Rd. *Sut A* —5E **38**
Skerry Hill. *Mans* —2D **40**
Skye Gdns. *Tib* —4B **36**
Slack Av. *Rip* —3D **62**
Slack La. *Heath* —4B **14**
Slack La. *Ridd* —7H **55**
Slack La. *Rip* —3D **62**
Slack's La. *Pils* —6J **25**
Slade Clo. *S Norm* —6D **46**
Slant La. *Shire* —3H **17**
Slater St. *Clay C* —5D **24**
Slater St. *Sut A* —5D **38**
Sleetmoor La. *Swanw* —2F **55**
Sleights La. *Pinx* —1E **56**
Smalley Clo. *Und* —2J **65**

Small Ga. *Mans W* —2E **30**
Smeath Rd. *Und* —2J **65**
Smedley Av. *Som* —2K **55**
Smith Av. *Cod* —3H **63**
Smith Clo. *Wing* —3B **12**
Smith Ct. *Bsvr* —3H **5**
Smithson Av. *Bsvr* —5K **5**
Smith St. *Mans* —3E **40**
Smithy Av. *Clay C* —4C **24**
Smithy Pl. *Gras* —5F **13**
Smithy Row. *Sut A* —7B **38**
Snaefell Av. *For T* —6G **31**
Snowberry Av. *Belp* —4F **67**
Somercotes Hill. *Som* —3J **55**
Somersall St. *Mans* —2J **39**
Somersby Ct. *Mans* —4H **41**
(off Thornton Clo.)
Sookholme Clo. *Shire* —3K **17**
Sookholme Dri. *Mans* —5H **41**
Sookholme La. *Wars* —5D **18**
Sookholme Rd. *Shire* —4K **17**
Sookholme Rd. *Wars* —5D **18**
Sotheby Av. *Sut A* —1G **49**
Sough Rd. *S Norm* —3D **46**
South Av. *Rain* —1C **52**
South Av. *Shire* —4K **17**
South Cres. *Bsvr* —5K **5**
South Cres. *Clip V* —5C **32**
South Cres. *Duck* —1C **4**
Southcroft. *Alf* —7G **45**
Southend. *Gras* —5F **13**
S. Ridge Dri. *Mans* —6D **40**
Southfield Av. *Has* —1D **12**
Southfield Dri. *S Norm* —5E **46**
Southfields Av. *Pinx* —7F **47**
Southfields Clo. *Kirk A* —2C **58**
Southgate Rd. *Wars* —2J **19**
Southgreen Clo. *Mans* —7E **40**
Southgreen Hill. *Mans* —7E **40**
S. Hill La. *Hghm* —3A **34**
Southpark Av. *Mans* —7F **41**
South Pl. *Rip* —3D **62**
South St. *Nwtn* —7B **36**
South St. *Pils* —7K **25**
South St. *Ridd* —6K **55**
South St. *S Norm* —4D **46**
South St. *Swanw* —5D **54**
Southview Gdns. *R'hd* —1G **61**
Southwell Clo. *Kirk A* —4E **48**
Southwell La. *Kirk A* —5C **48**
Southwell La. Ind. Est. *Kirk A*
—4E **48**
Southwell Rd. E. *Rain* —7K **41**
Southwell Rd. W. *Mans & Rain*
—3D **40**
Southwood Av. *Sut A* —5B **38**
Sowter Av. *Sut A* —5C **38**
Spa Clo. *Sut A* —2D **48**
Spa Cft. *Tib* —4A **36**
Spa La. *For T* —4H **31**
Spang La. *Huth* —5G **37**
Spencer Av. *Belp* —3F **67**
Spencer Dri. *Som* —4K **55**
Spencer Rd. *Belp* —3E **66**
Spencer St. *Bsvr* —6H **5**
Spencer St. *Mans* —3A **40**
Sperry Clo. *Sels* —5H **57**
Spinners Way. *Belp* —2G **67**
Spinney Clo. *Kirk A* —4C **48**
Spinney Clo. *Mans W* —2E **30**
Spinney, The. *Belp* —1E **66**
Spinney, The. *Mans* —3D **50**
Spinney, The. *Rip* —4H **62**
Spinney, The. *Shire* —4H **17**
Spittal Grn. *Bsvr* —6J **5**
Sporton Clo. *S Norm* —3C **46**
Sporton La. *S Norm* —3C **46**
Sprig Clo. *Belp* —1C **66**

Springfield Av. *Los* —7H **63**
Springfield Av. *Shire* —2J **17**
Springfield Clo. *Mans* —4G **41**
Springfield Cres. *Bsvr* —3H **5**
Springfield Cres. *Som* —4K **55**
Springfield Rd. *Hlmwd* —1K **25**
Springfield Ter. *Rip* —3E **62**
Springfield Vw. *Rip* —2D **62**
Springfield Way. *Kirk A* —5H **49**
Spring Hill. *Mans W* —5B **30**
Springhill Way. *Cod* —4G **63**
Spring Hollow. *Haz* —7A **66**
Spring La. *Lang* —1C **6**
Spring La. *Tib* —5E **26**
Spring La. *Wars V* —4D **18**
Spring Rd. *Ridd* —5A **56**
Spring Rd. *Sut A* —7C **38**
Springvale Clo. *Dane* —6D **24**
Springvale Rd. *Dane* —6D **24**
Springwell St. *Huth* —7H **37**
Springwood St. *Temp N* —3H **13**
Springwood Vw. Clo. *Sut A*
—6A **38**
Spruce Av. *Sels* —5F **57**
Spruce Gro. *Kirk A* —4G **49**
Square, The. *Dane* —5E **24**
Square, The. *Rain* —1D **52**
Squires Cft. *Old C* —2E **32**
Squires La. *Old C* —2C **32**
Stables Ct. *Bsvr* —5A **6**
Stacey Rd. *Mans* —6H **29**
Staffa Dri. *Tib* —4B **36**
Stafford St. *Mans* —1K **39**
Stainforth St. *Mans W* —6C **30**
Stainsby Clo. *Hlmwd* —7B **14**
Stainsby Dri. *Mans* —2G **41**
Stainsby Gro. *Huth* —7H **37**
Stamper Cres. *Sut A* —3D **38**
Stanage Ct. *Mans* —4H **41**
Stanhope St. *Doe L* —6G **15**
Stanley Av. *Rip* —2E **62**
Stanley Clo. *R'hd* —7G **51**
Stanley La. *Alf & Stan* —5F **27**
Stanley Rd. *For T* —7H **31**
Stanley Rd. *Mans* —5B **40**
Stanley St. *Som* —4K **55**
Stanton Av. *Belp* —3F **67**
Stanton Cres. *Sut A* —5B **38**
Stanton Pl. *Mans* —2K **39**
Stanton Pl. *N Htn* —1D **28**
Stanton St. *N Htn* —1D **28**
Starr Av. *Sut A* —6B **38**
Statham Av. *New T* —7C **12**
Stathers La. *Hlmwd* —7A **14**
Station Av. *News V* —5K **59**
Station Hill. *Mans W* —5B **30**
Station La. *Cod* —6H **63**
Station La. *Edwin* —6J **21**
Station La. *Iron* —1B **64**
Station New Rd. *Old T* —1C **24**
Station Rd. *Bsvr* —4G **5**
Station Rd. *Clip V* —6A **32**
Station Rd. *Lang J* —1J **17**
Station Rd. *Mans* —3B **40**
Station Rd. *Mort* —4H **35**
Station Rd. *News V* —5J **59**
Station Rd. *N Wing* —1E **24**
Station Rd. *Oll* —4E **22**
Station Rd. *Pils* —7K **25**
Station Rd. *Rain* —2C **52**
Station Rd. *Scar* —1D **16**
Station Rd. *Sels* —2G **57**
Station Rd. *Shire* —3K **17**
Station Rd. *Sut A* —7D **38**
Station Rd. *Tib* —3B **36**
Station St. *Kirk A* —5E **48**
Station St. *Mans* —3B **40**
Station St. *Mans W* —5B **30**

Vale Rd. *Mans W* —4A **30**
Vallance St. *Mans W* —4B **30**
Valley Clo. *Lwr P* —4H **25**
Valley Rd. *Bsvr* —6J **5**
Valley Rd. *Clay C* —4A **24**
Valley Rd. *Shire* —2J **17**
Valley Vw. *Belp* —5E **66**
Valley Vw. *Bsvr* —7K **5**
Valley Vw. Rd. *Ridd* —7J **55**
Valmont Av. *Mans* —3G **41**
Vanguard Trad. Est. *Ches*
—1B **12**
Vaughan Pl. *Lang J* —1J **17**
Veitch Gro. *Shire* —2H **17**
Veitch Ho. *Kirk A* —3D **48**
Vellus Ct. *Sut A* —7F **39**
Ventura Ct. *Kirk A* —3G **49**
Venture Cres. *Nix H* —1G **55**
Vera Cres. *Rain* —2D **52**
Vere Av. *Sut A* —5C **38**
Verney St. *N Htn* —1D **28**
Verney Way. *N Htn* —1D **28**
Vernon Av. *R'hd* —2F **61**
Vernon Ct. *Shire* —3A **18**
Vernon Cres. *R'hd* —2F **61**
Vernon Ri. *Gras* —5F **13**
Vernon Rd. *Kirk A* —5D **48**
Vernon St. *Shire* —3A **18**
Vernon St. Ind. Est. *Shire*
—3A **18**
Verona Ct. *Mans* —6G **41**
Veronne Dri. *Sut A* —3E **38**
Vesper Ct. *For T* —1F **41**
Vexation La. *Ruff* —7B **22**
Vicarage Clo. *Belp* —3E **66**
Vicarage Clo. *Heath* —5D **14**
Vicarage Clo. *Shire* —4J **17**
Vicarage Clo. *Swanw* —4E **54**
Vicarage Ct. *Skeg* —2C **38**
Vicarage La. *Iron* —7B **56**
Vicarage M. *Ridd* —5A **56**
Vicarage Rd. *Milf* —7D **66**
Vicarage Way. *Kirk A* —3D **58**
Vicar La. *Tib* —3C **36**
Vicars Ct. *Clip V* —6B **32**
Vicar Way. *For T* —2G **41**
Vickers St. *Wars* —3H **19**
Victoria Clo. *Boug* —2K **23**
Victoria Ct. *Mans* —4A **40**
Victoria Cres. *Iron* —7B **56**
Victoria Dri. *B'will* —1A **46**
Victoria Rd. *Kirk A* —5D **48**
Victoria Rd. *Pinx* —6F **47**
Victoria Rd. *Rip* —2D **62**
Victoria Rd. *Sels* —5H **57**
Victoria St. *Alf* —7H **45**
Victoria St. *Bsvr* —6K **5**
Victoria St. *Clay C* —5C **24**
Victoria St. *Iron* —7B **56**
Victoria St. *Mans* —4A **40**
Victoria St. *Rip* —2F **63**
Victoria St. *Sels* —4J **57**
Victoria St. *Shire* —3K **17**
Victoria St. *Som* —3J **55**
Victoria St. *S Norm* —4C **46**
Victoria St. *Stan H* —3A **38**
Victoria St. *Sut A* —7C **38**
Victoria St. *Wars* —2G **19**
Victoria Ter. *Sels* —2G **57**
Victoria Ter. *Tib* —2D **36**
Victoria Wlk. *New T* —6D **12**
Victory Av. *Rip* —3F **63**
Victory Clo. *For T* —7G **31**
Victory Dri. *For T* —7F **31**
Villas Rd. *Bsvr* —4G **5**
Villas, The. *Lang* —3K **7**
Villiers Rd. *Mans* —2E **40**
Vinton Pl. *Clip V* —4D **32**

Vinton Way. *Sut A* —7F **39**
Violet Clo. *Shire* —4H **17**
Violet Hill. *For T* —1G **41**

Wade Clo. *Mans* —6C **40**
Wadey M. *Mans* —7E **40**
Wadey Row. *Sut A* —7A **38**
Wagstaff La. *Jack* —7D **56**
Wain Av. *N Wing* —1G **25**
Waingroves Rd. *Rip* —4G **63**
Waingroves Rd. *Wain* —6H **63**
Wain Way. *N Wing* —1G **25**
Wainwright Av. *Mans* —7H **29**
Walcote Clo. *Belp* —2G **67**
Walesby Ct. *Mans* —6G **41**
Walesby Dri. *Kirk A* —5H **49**
Walesby La. *New O* —3F **23**
Walkden St. *Mans* —2B **40**
Walker Av. *Rip* —2E **62**
Walker Clo. *For T* —7H **31**
Wallis Rd. *Mans* —2C **40**
Wall St. *Rip* —2D **62**
Walnut Dri. *Belp* —4F **67**
Walnut Tree Cres. *For T* —6K **31**
Walters Av. *Brins* —6G **65**
Walters Cres. *Sels* —5F **57**
Waltham Rd. *R'hd* —1G **61**
Walton Clo. *For T* —1H **41**
Walton Dri. *Sut A* —2B **48**
Walton St. *Sut A* —6E **38**
Ward Dri. *Som* —4K **55**
Wardlow M. *Mans* —4J **41**
Ward Pl. *Mans* —3J **39**
Ward St. *New T* —7D **12**
Warmwells La. *Rip* —5D **62**
Warnadene Rd. *Sut A* —2C **48**
Warren Av. *Ann* —3G **59**
Warren Clo. *Huth* —1J **47**
Warren Clo. *Pils* —6J **25**
Warren Rd. *Kirk A* —2F **59**
Warren Way. *For T* —2J **41**
Warsop Enterprise Cen. *Wars*
—2H **19**
Warsop La. *Blid* —4B **52**
Warsop Rd. *Mans W* —5D **30**
Warwick Clo. *Kirk A* —5H **49**
Warwick Dri. *Mans* —2E **40**
Warwick Gdns. *Belp* —2H **67**
Warwick Rd. *Som* —2J **55**
Washington Dri. *Mans* —4K **39**
Watercress La. *Dane* —6D **24**
Waterdown Clo. *Mans W* —3D **30**
Water La. *Bsvr* —6G **5**
Water La. *Ple* —4F **29**
Water La. *S Norm* —4D **46**
Water La. *Ston H* —6C **16**
Waterloo Clo. *Hilc* —2E **46**
Waterloo St. *Clay C* —4C **24**
Waterloo St. *Doe L* —6H **15**
Waterside. *Iron* —7B **56**
Waterson Av. *Mans* —6F **41**
Waterson Clo. *Mans* —6G **41**
Waterson Oaks. *Mans* —5F **41**
Waterworks Dri. *Old C* —3E **32**
Watnall Cres. *Mans* —2J **39**
Watson Av. *Mans* —2C **40**
Watson St. *Wars* —3H **19**
Waverley Rd. *Mans* —5B **40**
Waverley St. *Tib* —2C **36**
Waverly Clo. *Kirk A* —5H **49**
Wayside Clo. *N Wing* —1G **25**
Weavers Clo. *Belp* —2G **67**
Weaver's La. *Jack & Ann* —7D **58**
Webb St. *News V* —5J **59**
Webster Clo. *Rain* —1D **52**
Weetman Av. *Chur W* —1H **19**
Weighbridge Rd. *Mans* —3C **40**

Welbeck Clo. *Sut A* —4D **38**
Welbeck Dri. *Edwin* —5H **21**
Welbeck Rd. *Bsvr* —5K **5**
Welbeck Rd. *Mans W* —5C **30**
Welbeck Sq. *Stan H* —3A **38**
Welbeck St. *Kirk A* —6F **49**
Welbeck St. *Mans* —2A **40**
Welbeck St. *Wars* —3H **19**
Welburn Clo. *For T* —6F **31**
Welfare Clo. *Shire* —4J **17**
Welfitt Gro. *Neth L* —4B **8**
Welford Clo. *Skeg* —4F **39**
Wellbeck St. *Sut A* —7D **38**
Wellcroft Clo. *Mans* —4K **39**
Wellington Av. *Wars* —4H **19**
Wellington Ct. *Belp* —4D **66**
Wellington Pk. *Shirl* —7D **34**
Wellington St. *Rip* —3E **62**
Well La. *Hghm* —6C **34**
Wellow Clo. *Mans* —1H **39**
Wellow Clo. *Sut A* —1G **49**
Wellow Grn. *W'low* —5H **23**
Wellow Rd. *Oll* —4F **23**
Wells Clo. *Mans W* —4D **30**
Wellspring Clo. *Wing* —3B **12**
Wells St. *Bsvr* —6A **6**
Well St. *Rip* —3D **62**
Welshcroft Clo. *Kirk A* —4E **48**
Welwyn Av. *Mans W* —4E **30**
Wenham La. *Huth* —5H **37**
Wenlock Dri. *Gras* —4F **13**
Wenlock Wlk. *Gras* —4F **13**
Wensleydale Clo. *For T* —7E **30**
Wensley Rd. *N Wing* —3F **25**
Wentbridge Dri. *Mans* —5G **41**
Wentworth Clo. *For T* —6F **31**
Wentworth Rd. *Kirk A* —3C **48**
Wesley Rd. *Ston* —6F **35**
Wesley St. *Kirk A* —3H **59**
Wessington La. *S Wing* —5A **44**
West Av. *Rip* —3C **62**
W. Bank Av. *Mans* —1B **40**
W. Bank Lea. *Mans* —1B **40**
W. Bank Link. *Mans* —7B **30**
W. Bank Wynd. *Mans* —1B **40**
Westbourne Av. *Ston* —5G **35**
Westbourne Clo. *Mans W*
—4E **30**
Westbourne Clo. *Sut A* —6B **38**
Westbourne Rd. *Sut A* —6B **38**
Westbourne Rd. *Und* —2J **65**
Westbourne Vw. *Sut A* —6B **38**
Westbrook Av. *R'hd* —7F **51**
Westbrook Dri. *Rain* —2D **52**
Westbury Gdns. *Belp* —2G **67**
West Cres. *Duck* —1C **4**
Westdale Av. *Sut A* —4E **38**
Westdale Rd. *Jack* —7D **56**
Westdale Rd. *Mans* —7B **30**
West Dri. *Edwin* —5J **21**
West End. *Alf* —7G **45**
West End. *Pinx* —6E **46**
West End. *Sut A* —7C **38**
W. End Clo. *Alf* —7G **45**
W. End Ct. *Sut A* —7B **38**
(off West End)
Western Av. *Kirk A* —7F **49**
Western Av. *Mans* —4K **39**
Western Av. *Swanw* —4D **54**
Westfield Clo. *Mans* —1K **39**
Westfield Clo. *Sut A* —7C **38**
(off Church La.)
Westfield Dri. *B'will* —1K **45**
Westfield Dri. *Mans* —1J **39**
Westfield La. *Mans* —7H **29**
Westfield Rd. *Kirk A* —2F **59**
West Ga. *Mans* —2B **40**
West Hill. *Cod* —5H **63**

West Hill. *Mans* —1A **40**
West Hill. *Sut A* —3B **38**
W. Hill Av. *Mans* —2B **40**
W. Hill Dri. *Mans* —2B **40**
Westhill La. *Gras* —4E **12**
W. Hill Pk. *Mans W* —5B **30**
W. Hill Way. *Mans* —2B **40**
Westland Dri. *Pinx* —7E **46**
West La. *Edwin* —5J **21**
Westleigh. *Mans W* —2D **30**
Westminster Av. *Kirk A* —5G **49**
Westminster Ct. *Mans W* —5D **30**
Westmorland Way. *Jack* —1D **64**
Weston Clo. *Sut A* —2G **49**
Weston Spot Clo. *Rip* —5D **62**
West St. *Clay C* —4A **24**
West St. *Doe L* —6F **15**
West St. *Lang* —3A **8**
West St. *Ridd* —5J **55**
West St. *S Norm* —5B **46**
West St. *Ston* —5F **35**
West St. *Wars V* —3D **18**
West Vw. *Bsvr* —6K **5**
West Vw. *Tib* —4B **36**
West Way. *Som* —2J **55**
Westwood Gdns. *Jack* —7E **56**
Westwood La. *Tib* —2B **36**
Whaley Bri. Clo. *Mans* —4J **41**
Whaley Rd. *Bsvr* —3C **6**
Whaley Rd. *Lang* —2H **7**
Wharfedale Gdns. *Mans* —4G **41**
Wharf La. *Tib* —2E **36**
Wharf Rd. *Mans* —3B **40**
Wharf Rd. *Pinx* —1E **56**
Wharf Rd. *Stan H* —4J **37**
(in two parts)
Wharf Rd. Ind. Est. *Pinx* —7G **47**
Wharf Yd. *Kirk A* —2C **58**
Wharmby Av. *Mans* —5H **29**
Whatton Ct. *Mans* —6G **41**
Wheatcroft Clo. *Dane* —6D **24**
Wheatcroft Clo. *Wing* —3A **12**
Wheatfield Cres. *Mans W* —3E **30**
Wheatfield Way. *Sut A* —2C **38**
Wheatley Av. *Kirk A* —5D **48**
Wheatley Av. *Som* —2J **55**
Wheatley Clo. *For T* —7F **31**
Wheatsheaf Ter. *Wars V* —3D **18**
Wheeldon Av. *Belp* —3F **67**
Wheeler Ga. *Und* —2J **65**
Wheelwrights, The. *Edwin*
—5K **21**
Whettons La. *Tib* —3C **36**
Whilton Clo. *Sut A* —4E **38**
Whilton Ct. *Belp* —3H **67**
Whinney Bank. *Mans W* —4D **30**
Whinney Hill. *Mans W* —4D **30**
Whinney La. *New O* —1H **23**
Whitcombe Pl. *Rip* —2D **62**
White Clo. *Som* —1H **55**
White Cres. *Wars* —4J **19**
White Gates. *Cod* —4H **63**
Whitegates Way. *Huth* —7G **37**
White Hart St. *Mans* —3B **40**
White Hart Yd. *Klbrn* —7H **67**
Whitehead Dri. *Brins* —4F **65**
Whitehead La. *Sut A* —3D **38**
Whitehouse Ri. *Belp* —1C **66**
White Leas Av. *N Wing* —1G **25**
Whiteley Rd. *Rip* —5F **63**
Whitemoor Hall. *Belp* —2H **67**
Whitemoor La. *Belp* —3G **67**
White's La. *Som* —2H **55**
Whitestone Clo. *Mans* —6G **41**
Whitewater Clo. *New O* —2G **23**
Whitewater Rd. *New O* —2G **23**
Whitmore Av. *Gras* —4H **13**
Whitney Clo. *For T* —7H **31**

Every possible care has been taken to ensure that the information given in this publication is accurate and whilst the publishers would be grateful to learn of any errors, they regret they cannot accept any responsibility for loss thereby caused.

The representation on the maps of a road, track or footpath is no evidence of the existence of a right of way.

The Grid on this map is the National Grid taken from the Ordnance Survey map with the permission of the Controller of Her Majesty's Stationery Office.

Copyright of Geographers' A-Z Map Co. Ltd.

No reproduction by any method whatsoever of any part of this publication is permitted without the prior consent of the copyright owners.